Wissenschaftsrecht

Zeitschrift für deutsches und europäisches Wissenschaftsrecht

Begründet und fortgeführt von Christian Flämig
Reinhard Grunwald · Jürgen Heß · Otto Kimminich †
Hartmut Krüger † · Dieter Leuze · Ernst-Joachim Meusel †
Hans-Heinrich Rupp · Hermann Josef Schuster
Friedrich Graf Stenbock-Fermor †

Herausgegeben von Wolfgang Löwer · Bernhard Kempen
Andreas Schlüter · Volker Epping · Klaus-Ferdinand Gärditz

Beiheft 24

Auf dem Weg zu einem europäischen Wissenschaftsrecht?

herausgegeben von

Alfred Funk, Klaus Ferdinand Gärditz
und Ulf Pallme König

Mohr Siebeck

ISBN 978-3-16-154683-9
ISSN 0948-1478 (Wissenschaftsrecht: Beiheft)

Die Deutsche Nationalbibliothek verzeichnet diese Publikation in der Deutschen Nationalbibliographie; detaillierte bibliographische Daten sind im Internet über *http://dnb.dnb.de* abrufbar.

© 2016 Mohr Siebeck Tübingen. www.mohr.de

Das Heft wurde von Laupp & Göbel in Gomaringen aus der Garamond gesetzt, auf alterungsbeständiges Werkdruckpapier gedruckt und gebunden.

Vorwort

Die Entwicklung des Wissenschaftsrechts zeigt, dass sich mit ihm über die letzten gut 40 Jahre hinweg ein spezielles Rechtsgebiet entwickelt hat, das nicht nur national einen eigenen Standort gefunden hat, sondern auch international vor allem im Zuge der Europäisierung des Rechts an Bedeutung weiter zunehmen wird. Vor diesem Hintergrund ist es nur folgerichtig, dass der Verein zur Förderung des nationalen & internationalen Wissenschaftsrechts am 26./27. März 2015 sein 20-jähriges Bestehen am Sitz des Europäischen Gerichtshofs in Luxemburg aus Anlass einer Fortbildungsveranstaltung mit dem Titel „Auf dem Weg zu einem europäischen Wissenschaftsrecht?" beging. Damit unterstreicht der Verein nachdrücklich seinen bereits von seinen Gründungsvätern formulierten Auftrag, mit Blick auf aktuelle wissenschaftsrechtliche Fragestellungen vermehrt auch einen wissenschaftlichen Austausch auf internationaler Ebene zu ermöglichen.

Namhafte Referenten hatten sich zur Verfügung gestellt, mit ihren Beiträgen die Fortbildungsveranstaltung zu bereichern; der Erfolg war enorm. An dieser Stelle sei daher nochmals allen Referenten ebenso gedankt wie den zahlreichen Teilnehmerinnen und Teilnehmern, die der Einladung des Vereins nach Luxemburg gefolgt waren. Gedankt sei auch dem Kanzler der Universität Luxemburg, Herrn Alfred Funk, der es möglich machte, dass die Veranstaltung in Räumlichkeiten seiner Universität stattfinden konnte, und Herrn Prof. Dr. Klaus Ferdinand Gärditz und seinen Mitarbeiterinnen für die engagierte und sachkundige Vor- und Nachbereitung des Fortbildungsseminars.

Dessen wissenschaftliche Beiträge finden sich in diesem Beiheft zum „Wissenschaftsrecht" wieder. Durch sie wird der große Erfolg der Veranstaltung nochmals eindrucksvoll sichtbar gemacht.

Ein besonderer Dank schließlich gilt dem Vorsitzenden der für die Hochschule für Oekonomie & Management maßgeblichen Stiftung, Herrn Dieter Braun, mit dessen großzügiger Unterstützung dieses Beiheft realisiert werden konnte.

September 2015   Prof. Ulf Pallme König
                              Vorsitzender des Vereins zur Förderung
                              des deutschen & internationalen
                              Wissenschaftsrechts

Inhaltsverzeichnis

Cristina Fraenkel-Haeberle

Einflüsse des allgemeinen Unionsrechts auf das europäische Wissenschaftsrecht

Das Hochschulwesen als Wirtschaftsfaktor:
öffentliches Gut oder kommerzielle Dienstleistung?

1. Prämisse

Nach dem *Humboldt*schen Ideal sind vor allem die Universitäten als Stätten der Wissenschaft anzusehen. Das stellt für einen italienischen Wissenschaftler eine Selbstverständlichkeit dar, da im Unterschied zu der dem deutschen Recht bekannten „Versäulung" die Wissenschaftslandschaft in Italien durch die dominierende Rolle der Universität geprägt wird. In einem universitätszentrierten System, das nicht einmal Fachhochschulen kennt, werden die Universitäten gesetzlich als „Primärsitz der Forschung"[1] definiert.

Traditionell stellen die Universitäten eine europäische Einrichtung *par excellence* dar. Diese im Mittelalter entstandene Institution, die eine fast tausendjährige Geschichte aufweist, ist für Europa und seine Identität prägend. In Bologna ist zunächst die lateinische *universitas* als Gemeinschaft der Studierenden (als sogenannte *universitas scholarium*) entstanden. Dieser Institution wurde daraufhin das Pariser Modell der *universitas magistrorum* (Zunft der Lehrenden) gegenübergestellt[2]. Beide Organisationsformen wiesen einen genossenschaftlichen Status auf und hatten sich bereits im Mittelalter institutionell verfestigt sowie autonom organisiert. Sie waren die Vorbilder für die flächendeckende Verbreitung der *universitas* in andere europäische Länder. Im Vergleich dazu steckten außeruniversitäre Forschungseinrichtungen „noch in den Kinderschuhen". Erst vor einem Jahrhundert wurde aus Anlass des hundertjährigen Bestehens der Universität Berlin im Jahre 1908 die Kaiser-Wilhelm-Gesellschaft (heute

---

[1] D.P.R. Nr. 382/1980, Art. 63.

[2] *Cristina Fraenkel-Haeberle*, Die Universität im Mehrebenensystem – Modernisierungsansätze in Deutschland, Italien und Österreich, Tübingen 2014, S. 14 ff.

WissR Beiheft 24 – S. 1–18
ISSN 0948-1478 – © Mohr Siebeck 2016

Max-Planck-Gesellschaft) gegründet. Das bedeutete den Beginn der institutionellen Auslagerung der Forschung aus den Universitäten[3].

Die Universitäten wurden im Mittelalter von Kaiser und Papst als oberste Autoritäten legitimiert, was eine europaweite Anerkennung der von ihnen verliehenen Studientitel (*licentia ubique docendi*) ermöglichte. Von diesem Ziel ist man im heutigen Europa noch weit entfernt. Sicher haben damals die Einheitssprache Latein und der einheitliche Fächerkanon zur Mobilität der mittelalterlichen Scholaren beigetragen. Diese Homogenität wurde in den darauf folgenden Jahrhunderten aufgebrochen.

Die europäische Integration hat damit begonnen, diesen Prozess wieder umzukehren. Auch das Hochschulrecht erfährt eine „Europäisierung", wobei „europäisch" hier auf das Europarecht bezogen und somit eng verstanden wird. In diesem Aufsatz soll auf die Frage eingegangen werden, ob sich das gegenwärtige Hochschulwesen in einen Wirtschaftsfaktor, mithin eine kommerzielle Dienstleistung verwandelt, und inwiefern diese Entwicklung auf den Einfluss des Unionsrechts zurückzuführen ist.

2. Das Hochschulwesen als öffentliches Gut oder kommerzielle Dienstleistung?

Das Hochschulwesen wird seit jeher als „öffentliches Gut" bezeichnet und öffentlich finanziert. Dies ist das Ergebnis eines kollektiven Willensbildungsprozesses und nicht Ausdruck eines Marktmechanismus. Nach dem traditionellen Verständnis wird es als wichtig angesehen, die Hochschule für breite Gesellschaftsschichten zu öffnen und die Studierenden zu kritischem Denken zu erziehen – und nicht nur, sie für einen bestimmten Beruf zu qualifizieren. Universitäten werden daher nicht als gewinnorientiert eingestuft: Ihre Aufgaben dienen Bildungszwecken[4].

In letzter Zeit ist es jedoch zu einem Strukturwandel gekommen. Zunehmend ist im Hochschulsektor von Ökonomisierung die Rede: Das Hochschulwesen wird schrittweise der Handlungsrationalität eines Privatunternehmens angenähert und die Hochschulgovernance an das Gesellschaftsrecht angelehnt. Als Beispiel kann das sog. „Kontraktmanagement" genannt werden, das sich in Anlehnung an das deutsche „neue Steuerungsmodell" der Kommunalverwaltung u. a. in der Leistungsvereinbarung, im Globalhaushalt nach dem Prinzip des MBO und im Con-

---

[3] *Stefan Fisch*, Geschichte der europäischen Universität – Von Bologna nach Bologna, München 2015, S. 94.

[4] *Peter-Alexis Albrecht*, Anmerkungen zum Verfall der Wissenschaft an deutschen Universitäten, in: KritV 92 3/2009, S. 266.

trolling artikuliert. Nach den neuen Prinzipien des „akademischen Kapitalismus" gewinnen ökonomische Paradigmen die Oberhand gegenüber der verfassungsrechtlich verbürgten Wissenschaftsfreiheit. An die Stelle der freien wissenschaftlichen „Daseinsvorsorge" tritt die wettbewerbsgesteuerte unternehmerische Hochschule. So ersetzen kurzfristige Ziele langfristige Visionen, Fremdkontrolle die Eigenkontrolle, Quantität qualitätsorientierte Überlegungen und Profitdenken wissenschaftliche Ziele, die oft nicht allein nach wirtschaftlichen Kriterien bemessen werden können[5].

Im Unterschied zu früheren Zeiten, in denen die Universität als Korporation individueller Gelehrter angesehen wurde und in denen ein einzelner Wissenschaftler bisweilen den Glanz einer ganzen Institution ausstrahlte, ist heute eine „Entindividualisierung der Wissenschaft"[6] festzustellen. Früher war Exzellenz vor allem ein individuelles Merkmal und nicht ein solches einer Institution. Die Universität verwandelt sich nunmehr zunehmend in einen hierarchischen und bürokratischen Apparat, bei dem die Entscheidungskompetenz weitgehend fremdbestimmt wird, indem wissenschaftliche Entscheidungsfreiheit durch den externen Sachverstand der Hochschul- bzw. Universitätsräte ersetzt wird.

In der wettbewerbsgesteuerten Universität, in der die Drittmitteleinwerbung groß geschrieben wird, wird die den Wissenschaftlern zur Verfügung stehende Zeit oft durch die „Antragsmaschinerie aufgefressen"[7]. Dieser Wettbewerb verändert jedoch die Einstellung der Wissenschaftler selbst. Die Forschung wird nicht mehr aufgrund der persönlichen Interessenlage und uneigennützig betrieben, sondern bisweilen als „vertretbare Ware"[8] angesehen und nach den Wünschen der Geldgeber ausgerichtet.

Zunehmende Bedeutung kommt dem in den Hochschulgesetzen der deutschen Bundesländer geregelten „Hochschulwirtschaftsrecht" zu. In diesen Gesetzen wird die „Gründung, Übernahme, Erweiterung und Beteiligung an wirtschaftlichen Unternehmen" als „unternehmerische Hochschultätigkeit"[9] bezeichnet. Im Falle einer unternehmerischen Hochschultätigkeit besteht zusätzlich zur Absicht der Gewinnerzielung auch eine organisatorische Verselbstständigung und institutionelle Verfestigung der wirtschaftlichen Betätigung von Hochschulen. Die von den Hochschulen zum Zweck der wirtschaftlichen Betätigung geschaffenen Rechtsträger können unter Umständen auch öffentlich-rechtlich organisiert sein.

---

[5] *Ebenda*, S. 268.
[6] *Ebenda*, S. 268.
[7] *Ebenda*, S. 269.
[8] *Christian Bumke*, Universitäten im Wettbewerb, in: VVDStRL 69 (2010), S. 418.
[9] *Matthias Knauff*, Die Regelung der wirtschaftlichen Betätigung von Hochschulen: Auf dem Weg zum Hochschulwirtschaftsrecht, in: Wissenschaftsrecht, Bd. 43 (2010) S. 44, mit Verweis auf § 5 VII HG NW.

Rechtsvergleichend ist außerdem festzustellen, dass auch das österreichische Universitätsgesetz (§ 10 UG 2002) die Universitäten ausdrücklich dazu ermächtigt, Gesellschaften, Stiftungen oder Vereine zu gründen und sich daran zu beteiligen. Die Schaffung hochschulwirtschaftsrechtlicher Normen in den Hochschulgesetzen nahezu aller deutscher Bundesländer zeigt, dass die kommerzielle Tätigkeit von Hochschulen inzwischen weit verbreitet ist. Aus Sicht des Hochschulwirtschaftsrechts handelt es sich nicht mehr um das „Unternehmen Hochschule", sondern um ein „Unternehmen der Hochschule"[10].

Die ausführliche Behandlung dieses sehr vielschichtigen und vielseitigen Themenkomplexes würde den Rahmen dieses Aufsatzes sprengen. Daher wird sich diese Abhandlung auf einige Schwerpunkte konzentrieren, die für das neue Verständnis der Hochschule als Wirtschaftsgut und Wirtschaftsfaktor von einiger Bedeutung sein werden. Der Aufsatz gliedert sich in drei Teile. Zunächst soll die wirtschaftliche Relevanz des Hochschulwesens im Zusammenhang mit neuen kommerziellen Studienangeboten untersucht werden; zweitens soll eine Analyse des Hochschulwesens als öffentliches Gut und zugleich als Wirtschaftsfaktor im Lichte des Unionsrechts durchgeführt werden; drittens soll das Thema der Globalisierung und Liberalisierung der Hochschulbildung und der Rolle regionaler Integrationszonen – wie der Europäischen Union – beleuchtet werden.

3. Präsenzstudium und Fernstudien als kommerzielle Dienstleistungsangebote

Die Internationalisierung der Bildungssysteme hat eine zunehmende Mobilität nach sich gezogen. Studienangebote und Studiengänge erhalten einen immer stärkeren grenzüberschreitenden Charakter. Aufgrund der modernen Technologien setzt sich jedoch das Bewusstsein durch, dass transnationale Ausbildungsmöglichkeiten nicht notwendigerweise mit physischer Mobilität einhergehen müssen[11]. Das Internet und die elektronischen Medien ermöglichen eine Überwindung der Entfernungen und eine Ausrichtung der Ausbildungsinhalte auf die Erfordernisse der globalen Welt. Dabei haben sich zwei Varianten herausgebildet: Die Internet-Universität einerseits, deren Sitz „überall und nirgendwo" ist – und die dank einer Satellitenanbindung virtuell verfügbar ist –, sowie die telematische Universität, die ihren festen Sitz hat, über eine entsprechende

---

[10] *Ebenda*, S. 46.
[11] Ausführlicher dazu *Fraenkel-Haeberle*, Die Universität im Mehrebenensystem, S. 262 ff.

Infrastruktur verfügt und traditionelle Kursangebote und Kontaktstudien mit dem Internetstudium verbindet[12]. Als Beispiele für telematische Universitäten gelten die Fernuniversität Hagen, die „Open Universities" in Großbritannien, das Maryland University College und die Phönix Universität in den USA[13]. Auch die traditionellen Universitäten neigen inzwischen dazu, ihre Kursangebote und Ausbildungsinhalte ins Internet zu stellen.

Diese transnationale Ausbildung kann auf verschiedene Ursachen zurückgeführt werden. Von besonderer Bedeutung ist unter anderem die „Überwindung der traditionellen Lebenszeitaufteilung"[14]. Früher wurde der klassischen universitären Ausbildung eine begrenzte Zeit gewidmet, die sich vor dem eigentlichen Berufsleben abspielte. Nach dem Konzept des lebenslangen Lernens eröffnen sich heute hingegen neue Spielräume für *Online*-Studiengänge, die im Unterschied zur traditionellen Hochschule flexibler gestaltet und hauptsächlich an berufstätige Studierende gerichtet sind. Außerdem entspricht die Internet-Universität dem heutigen Zeitgeist, da sie weder zeit- noch ortsgebunden ist. Das Schlagwort in diesem Zusammenhang lautet „Learning on Demand"[15], Lernen auf Abruf.

Dieses Modell ist vor allem in den USA verbreitet, wo die Entfernungen größer sind und sich die Notwendigkeit des Sprachenwechsels nicht stellt[16]. Im Vergleich sind die Voraussetzungen in Europa weniger günstig, obwohl diese Art von Universität als Alternative zum traditionellen Präsenzstudium auch hier eine zunehmende Verbreitung findet.

Das zeigt das Beispiel der österreichischen Universitäten. Dort können in nahezu jedem Studium Fernstudieneinheiten vorgesehen werden (sog. *blended learning*). Laut § 53 UG 2002 dürfen Fernstudieneinheiten an Universitäten festgelegt werden[17]. In Italien wurden die telematischen Universitäten im Jahr 2002 eingeführt[18]. Es wurden Hochschulen eingerichtet, die dem traditionellen Universitätsangebot gleichstellt sind – nur, dass hier auf das Präsenzstudium vollständig verzichtet wird. Stattdessen

---

[12] *Ulrich Peter Ritter*, Die Internet-Universität, virtuelle Universitäten und die Zukunft der europäischen Universitäten, in: Wolff-Dietrich Webler (Hrsg.), Universität am Scheideweg, Bielefeld 2008, S. 179.

[13] *Ebenda*, S. 178.

[14] *Ebenda*, S. 181.

[15] *Ebenda*, S. 182.

[16] *Ebenda*, S. 180.

[17] Vgl. *Österreichischer Wissenschaftsrat*, Universität Österreich 2025 – Analysen und Empfehlungen zur Entwicklung des österreichischen Hochschul- und Wissenschaftssystems, Wien 2010, S. 45.

[18] Mit dem Haushaltsrahmengesetz für das Jahr 2003, Gesetz Nr. 289 v. 27.12.2002 (Disposizioni per la formazione del bilancio annuale e pluriennale dello Stato), ABl. Nr. 305 v. 31.12.2002, Art. 26.

findet die Lehre ausschließlich in Online-Kursen statt[19]. Eine „telematische Universität" kann nach erfolgter Akkreditierung Studienabschlüsse verleihen, die denjenigen Abschlüssen, die von traditionellen Hochschulen verliehen werden, gesetzlich gleichgestellt sind. In Italien ist daraufhin eine breite Diskussion über die telematische Universität aufgekommen. Bedenken gegen diesen Hochschultyp stützen sich vor allem auf folgende Überlegungen: Erstens wurde bemängelt, dass in seiner Regelung jeglicher Bezug zur Forschungstätigkeit fehle, die ja eine Grundvoraussetzung für die universitäre Wissensvermittlung darstelle. Die grundsätzliche Befürchtung besteht darin, dass es kontraproduktiv sei, wenn ein paralleles „kommerzialisiertes" Segment in der Hochschulbildung entstünde, das vermeintlich einfachere Studiengänge unter dem Deckmantel der technologischen Innovation anbiete. Zweitens wurde in der Schaffung einer Rechtsgrundlage für die Errichtung der telematischen Universität ein erster Schritt in Richtung einer echten Hochschulprivatisierung auf der Grundlage eines „Fernunterrichts gegen Bezahlung"[20] gesehen[21]. Die Einführung telematischer Universitäten wirft nicht zuletzt ernsthafte Fragen der Übereinstimmung zwischen Form und Inhalt auf[22]. Dabei ist die wichtige Rolle zu bedenken, welche die Universität als „reale und nicht virtuelle Gemeinschaft von Studierenden und Gelehrten bei der Entwicklung von Lehre und Forschung zu spielen hat"[23]. Erst durch den Kontakt mit den Dozenten und mit anderen Studierenden kann eine kritische Auseinandersetzung mit den Lehrinhalten zustande kommen. Das setzt natürlich eine ausreichende Präsenzzeit voraus. Die telematischen Hochschulen stellen den traditionellen Begriff der Universität als „physischer Gemeinschaft" von Lehrenden und Lernenden wie auch denjenigen der Einheit von Forschung und Lehre grundsätzlich in Frage[24]. Deswegen wird befürchtet,

---

[19] Telematische Universitäten sollen „ohne finanzielle Belastung für den Staat" errichtet werden (G. Nr. 305/2002, Art. 26 Abs. 5), wenn auch vorbehaltlich der Bestimmungen des Gesetzes Nr. 243/1991, das sich auf die Finanzierung nicht-staatlicher Universitäten bezieht. Daraus wurde geschlossen, dass der Gesetzgeber die telematischen Universitäten den nicht-staatlichen Universitäten gleichstellen wollte (*Marco Sepe*, Le Università non statali e le Università telematiche, in: Francesco Capriglione (Hrsg.), Luci e ombre della riforma universitaria, Bari 2010, S. 57).

[20] *Nicola Lucchi*, Il decreto sulle „Università telematiche", in: Studium juris 2003, S. 1187.

[21] *Elisabetta de Felice*, „L'Università esiste per essere organizzata o si organizza per esistere?": ipotesi e prospettive evolutive alla luce delle riforme in atto, unter: www.giustamm.it, v. 15.9.2010 (Zugang nur für Abonnenten), S. 25.

[22] *Angelo Mari*, L'istituzione dell'„Unitel" tra nuovi problemi e incerte prospettive, in. Gior. Dir. Amm. 2006, S. 1191.

[23] *De Felice*, „L'Università esiste per essere organizzata o si organizza per esistere?": ipotesi e prospettive evolutive alla luce delle riforme in atto, S. 26.

[24] *Mari*, L'istituzione dell'„Unitel" tra nuovi problemi e incerte prospettive, S. 1189.

dass durch sie inhaltlich ein Rückschritt der universitären Ausbildung und nicht deren Modernisierung begünstigt werden könnte[25].

4. Die Unionsrechtliche Dimension des Hochschulrechts zwischen öffentlichem Gut und Wirtschaftsfaktor

Wenn ursprünglich das Primärrecht der Europäischen Union nur indirekt über das Diskriminierungsverbot die Grundfreiheiten und insbesondere die Kulturfreiheit geschützt hat, wurde mit der in Nizza verabschiedeten und später ins Primärrecht überführten Grundrechtecharta[26] die Freiheit der Kunst und der Wissenschaft normativ verbürgt und schließlich mit dem Vertrag von Lissabon als verbindliches Freiheitsrecht etabliert. Eine explizite Gewährleistung der Forschungsfreiheit und der „Achtung der akademischen Freiheit" wurde in Art. 13 GRC aufgenommen. Diese Norm kann gemäß Art. 6 Abs. 1 EUV als Hilfsmittel der Rechtserkenntnis herangezogen werden. Art. 14 GRC verbürgt das „Recht auf Bildung sowie auf Zugang zur beruflichen Aus- und Weiterbildung" und den Anspruch auf eine diskriminierungsfreie Teilnahme am Unterricht. Diese Rechte können als europäisches Verfassungsgut bezeichnet werden und bilden einen grundrechtlichen Kernbestand, der auch nicht von der Staatsbürgerschaft abhängig ist[27]. Insgesamt verfügt die Europäische Union jedoch noch nicht über „harte Kompetenzen" zur Gewährleistung und Absicherung des Hochschulsektors. Das europäische Hochschulrecht ist vor allem als der Harmonisierung entzogenes Förderrecht anzusehen, weshalb die genannten Vorschriften der GRC vor allem als „Zielbestimmungen"[28] anzusehen sind. Die Kompetenz zur Setzung positiven Rechts ist der EU in diesem Regelungsbereich weitgehend verschlossen. Laut Art. 6 lit. e AEUV kann die EU Maßnahmen mit europäischer Zielsetzung zur „Unterstützung, Koordinierung und Ergänzung" der Maßnahmen der Mitgliedstaaten im Bereich der allgemeinen und beruflichen Bildung durchführen. Auch der AEUV wiederholt in Art. 165 (allgemeine Bildung) und 166 (berufliche Bildung) mit ihren jeweiligen bildungspolitischen Zielkatalogen dieses Harmonisierungsverbot und betont die ausschließliche Verantwortung der

---

[25] *Lucchi*, Il decreto sulle „Università telematiche", S. 1187.

[26] Charta der Grundrechte der Europäischen Union, Amtsblatt Nr. C303 v. 14.12.2007.

[27] *Raffaele Bifulco/Alfonso Celotto/Marco Olivetti* (Hrsg.), Commentario alla Costituzione, Torino 2006, Art. 33, S. 697.

[28] *Roland Winkler*, Unionsrechtliche Dimension des Hochschulrechts, Qualitätssicherung im Hochschulbereich, in: Walter Berka/Christian Brünner/Werner Hauser (Hrsg.), Handbuch des österreichischen Hochschulrechts, 2. Auflage, Graz 2012, S. 60.

Mitgliedstaaten für die Lehrinhalte und die Gestaltung des Bildungssystems (darin ausdrücklich vorgesehen ist der „Ausschluss der Harmonisierung der Recht- und Verwaltungsvorschriften der Mitgliedstaaten"). Aus diesem Grund wird die Förderpolitik der EU im Bildungsbereich vielmehr als „Negativkompetenz" bezeichnet, da sie darauf ausgerichtet ist, die mitgliedstaatliche Zuständigkeit im Hochschulbereich zu schützen[29].

Ungeachtet der Konfliktpotentiale zwischen EU-Recht und dem nationalen Recht sind Studierende, Lehrende und Hochschulen auch wirtschaftliche Akteure; Hochschulbildung ist auch ein Wirtschaftsgut. Europarechtlich gesprochen geht es dabei a) um die Freizügigkeit der Lehrenden, b) um die Freizügigkeit der Studierenden und c) um die Frage der Hochschulen als Unternehmen und damit um das Wettbewerbsrecht.

a) Freizügigkeit der Lehrenden

Die Hochschulen sind Arbeitgeber ihres wissenschaftlichen und nichtwissenschaftlichen Personals. Die Lehrenden fallen unter die Bestimmungen über die Freizügigkeit und nur ausnahmsweise unter die Bestimmungen über die Dienstleistungsfreiheit, nämlich dann, wenn es sich um einen einmaligen Lehrauftrag auf Werkvertragsbasis handelt. Ähnlich wie leitende Angestellte können insbesondere Professoren als Berechtigte der Niederlassungsfreiheit angesehen werden. Die auf die öffentliche Verwaltung bezogene Bereichsausnahme aus Art. 45, 51 und 62 AEUV kommt allgemein nicht zur Anwendung, weil die Lehrtätigkeit an einer Universität nur in Sonderfällen unter die Ausnahme des Kernbereichs der Hoheitsverwaltung fällt. So sind Diskriminierungen aufgrund der Staatsbürgerschaft verboten[30]. Es bestehen allerdings praktische Hindernisse, da sich Qualifikationen (z. B. Habilitation) und das Auswahlverfahren von Land zu Land unterscheiden – man denke an das Urteil „Rubino"[31]. Weiter praktische Hindernisse ergeben sich für das Dienstrecht, die Arbeitsverhältnisse und das System der Alterssicherung.

b) Freizügigkeit der Studierenden

Die Freizügigkeit der Studenten basiert auf dem Verbot der Diskriminierung aufgrund der Staatsangehörigkeit (Art. 18 AEUV) und auf dem Prinzip der Unionsbürgerschaft (Art. 21 AEUV). In Sachen Hochschulzugang hat es

---

[29] *Ebenda*, S. 63.
[30] Dazu ausführlicher *Daniel Krausnick*, Staat und Hochschule im Gewährleistungsstaat, Tübingen 2012, S. 238 ff.
[31] EuGH, Urteil v. 17.12.2009, Rs. 586/08, Slg. I-12013.

zahlreiche diesbezügliche Urteile des EuGH gegeben. Im Fall *Kommission gegen Republik Österreich*[32] wurde die in Österreich verlangte „besondere Universitätsreife" beanstandet, da Inhaber von Schulabschlüssen anderer Mitgliedstaaten an österreichischen Universitäten Anforderungen unterworfen wurden, die für Inhaber österreichischer Abschlüsse keine Anwendung fanden. Diese Regelung wurde provisorisch in eine „Inländerquote" (Anteil der Studienanfänger mit österreichischem Abschluss für das Studium der Human- und Zahnmedizin) umgewandelt, die jedoch unionsrechtlich ebenfalls problematisch erscheint[33]. Ähnlich gelagert ist das Urteil im Fall *Bressol*[34], auch wenn dort der Rechtfertigungsgrund für die Beschränkungen des Hochschulzugangs der allgemeine Gesundheitsschutz war. Es wurde die Gefahr gesehen, dass aufgrund der Studentenströme aus dem französischsprachigen Ausland nicht genügend medizinische Fachkräfte ausgebildet werden würden, um die Qualität des öffentlichen Gesundheitsystems der französischen Gemeinschaft in Belgien zu gewährleisten.

Im Hinblick auf den Anspruch auf die Sozialhilfe ist u. a. der Fall *Grzelczyk*[35] relevant. Hier hat der EuGH eine Diskriminierung aufgrund der Staatsangehörigkeit festgestellt. In *Grzelczyk* hat der Gerichtshof entschieden, dass es mit dem Gemeinschaftsrecht unvereinbar sei, dass die Gewährung des Existenzminimums als beitragsunabhängige Sozialhilfeleistung nur bei nicht inländischen Studenten und nicht bei den eigenen Staatsbürgern von der Voraussetzung abhängig gemacht werde, dass sie als Wanderarbeitnehmer einzustufen seien. In *Bidar*[36] wurde dem EuGH die Frage zur Entscheidung vorgelegt, ob die Gewährung von nationalen Studienbeihilfen (Studiendarlehen zur Abdeckung der Unterhaltskosten) eine Gleichbehandlungspflicht gegenüber Staatsangehörigen anderer EU-Mitgliedstaaten auslöse. Der EuGH hat dabei das Erfordernis eines „ausreichenden Integrationsgrads in die Gesellschaft eines Mitgliedstaats", also einer Verbindung zur Gesellschaft eines Mitgliedstaats, betont[37].

Auch zum Thema Studiengebühren hat der EuGH wichtige Weichenstellungen im Hochschulbereich vorgenommen. Bereits im Fall *Forchieri*[38] ging es um Studiengebühren, die nur für ausländische Studenten vorgese-

---

[32] EuGH Urteil v. 7.7.2005, Rs. C-147/03, Slg. I-05969.

[33] *Winkler*, Unionsrechtliche Dimension der Hochschulrechts, S. 81.

[34] Urteil „Nicolas Bressol u. a., Céline Chaverot u. a. gegen Gouvernement de la Communauté française" vom 13. April 2010, Rs. C-73/2008, Rn. 68; vgl. die Urteilsanmerkung von *Sacha Garben* in: Common Market and Law Review 2010, S. 1493–1510.

[35] Urteil v. 20.9.2001, *Rudy Grzelczyk/Centre public d'aide sociale d'Ottignies-Louvain-la-Neuve*, Rs. 184/99, Slg. 2001, I-6193, Rn. 29.

[36] EuGH, Urteil v. 15.3.2005, Rs. 209/03, Slg. I-2119.

[37] EuGH *Bidar*, Rn. 57.

[38] EuGH, Urteil v. 13.7.1983, Rs. 152/82, Slg. I-2323.

hen waren. Der Fall *Gravier*[39] handelte ebenfalls von Studiengebühren.
Konkret ging es um die Schlechterstellung eines in Belgien eingeschrie-
benen französischen Studenten gegenüber seinen inländischen Kommi-
litonen. In *Gravier* wurde das Hochschulstudium als Berufsausbildung
angesehen: „Obwohl die Organisation des Bildungswesens und die Bil-
dungspolitik nicht in die Zuständigkeit der Gemeinschaft fallen, stellt das
Hochschulstudium aus der Perspektive der Freizügigkeit zugleich eine
Berufsausbildung im weiteren Sinn dar und steht daher"nicht außerhalb
des Gemeinschaftsrechts"[40].

Für die Rechtsprechung des EuGH stellt also das Prinzip der Arbeitnehmerfreizügigkeit einen wichtigen Entscheidungsmaßstab dar, sofern
Studierende oder deren Eltern als Wanderarbeitnehmer einzustufen sind.
In diesem Fall sind Studierende sowohl beim Hochschulzugang als auch
bei der Studien- und Unterhaltsförderung unter der Voraussetzung, dass
es sich bei ihrer Arbeit nicht lediglich um eine geringfügige Beschäftigung
handelt, den Inländern gleichgestellt[41]. Daraus ergeben sich zwei Fallgruppen: Der ersten Fallgruppe sind Studierende zuzuordnen, die sich in
einen anderen Mitgliedstaat begeben, um ein Studium aufzunehmen und
die den Inländern hinsichtlich des Hochschulzugangs, der Hochschulbei-
träge und der Studienförderung gleichgestellt sind. Bei der zweiten Gruppe
der Arbeitnehmer und der Selbständigen, die sich dauerhaft in einem Mitgliedstaat zum Studium befinden, umfasst die Gleichstellung auch die
Unterhaltsförderung, die hingegen bei nicht berufstätigen Studierenden
Einschränkungen unterliegen kann.

c) Hochschulen als Unternehmen?

Ist die Hochschulbildung eine Dienstleistung im Sinne des AEUV und
können Hochschulen als Unternehmen im Sinne des Wettbewerbsrechts
der EU angesehen werden? Dazu ist zunächst zu untersuchen, ob staatlich

---

[39] EuGH v. 13.2.1985, *Françoise Gravier gegen Stadt Lüttich*, Rs. 293/83, Slg. I-593;
NJW 1985, S. 2085. Vgl. *Thomas Walter*, Der Bologna-Prozess im Kontext der europäischen Hochschulpolitik. Eine Genese der Synchronisierung internationaler Kooperation
und Koordination, in: die hochschule 2007, S. 22 f. Studiengebühren, die ausschließlich von
Studierenden aus anderen Mitgliedstaaten erhoben werden, stellen eine (unmittelbare) Diskriminierung nach Art. 12 EGV dar, wobei Förderungen zur Abdeckung dieser Gebüh-
ren ebenfalls in den Anwendungsbereich des Vertrages fallen (EuGH v. 21.6.1988, *Lair*,
Rs. 39/86, Slg. I-3161, Rn. 25). Ausländerquoten, die ohne Zweifel den Zugang erheblich
mehr erschweren als reine Studiengebühren, stellen eine unzulässige (mittelbare) Diskriminierung dar (EuGH v. 27.9.1988, *Kommission/Belgien*, Rs. 42/87, Slg. I-5445, Rn. 2).
[40] EuGH *Gravier*, 1. Leitsatz.
[41] *Winkler*, Unionsrechtliche Dimension der Hochschulrechts, S. 79 f. mit Hinweis
auf EuGH v. 21.6.1988, *Brown*, Rs. 197/86, Slg. I-3205.

finanzierte Hochschulen als Dienstleistungserbringer im Sinne des AEUV gelten können. Grundsätzlich sind staatlich finanzierte Leistungen keine Dienstleistungen, weil ihnen das Gewinnelement fehlt. Auch die Studienbeiträge sind gesetzlich festgelegt und bei weitem nicht kostendeckend, weswegen auch hier die Unternehmensqualität verneint werden kann. Außerdem sind die Kerntätigkeiten wissenschaftlicher Hochschulen (Ausbildung und Qualifizierung von Humanressourcen als nicht wirtschaftlich anzusehen.

Bezüglich der Anwendbarkeit des Wettbewerbsrechts auf staatliche Hochschulen bestehen Zweifel. Die EU versteht Unternehmen in einem funktionalen Sinn, der sich auf die Verbindung zum Wirtschaftsleben bezieht und der zudem nicht von der Organisationsform eines Unternehmens abhängt[42]. Bei Universitäten gibt es jedoch einen starken Grundrechts- und Gemeinwohlbezug, da sie Aufgaben in Forschung und Lehre erfüllen sollen. Sie handeln also in der Regel nicht als Unternehmen. Auch bei Zuwendungen an anerkannte private Hochschulen kann die Ausnahmeklausel des Art. 106 Abs. 2 AEUV zur Anwendung kommen, da es sich hierbei um Dienstleistungen von allgemeinem wirtschaftlichen Interesse handelt, die von den Mitgliedstaaten im Rahmen der Daseinsvorsorge finanziert werden können[43].

Die zunehmende Bedeutung der auf dem Markt eingeworbenen Drittmittel und der Auftragsforschung führt jedoch zu einer Annäherung zwischen Universitäten und Unternehmen. Wenn Hochschulen als Unternehmen gelten, kann die staatliche Finanzierung eine verzerrende Wirkung haben und beihilferechtlich relevant werden. Der Beihilfecharakter einer Forschungsförderung bestimmt sich danach, ob es sich um eine wirtschaftliche Tätigkeit handelt (z. B. Auftragsforschung, Technologietransfer bzw. Vermietung von Forschungseinrichtungen). Für die Beurteilung, ob eine Tätigkeit als eine „wirtschaftliche" im Sinne des Beihilferechts anzusehen ist, ist insbesondere auf den sogenannten „market economy investor test" abzustellen[44]. Dabei ist zu berücksichtigen, dass die europäische Kommission Beihilfen, die der Forschung und Entwicklung zugutekommen, im Rahmen einer Freistellungsverordnung vom Beihilfeverbot und der Anmeldepflicht befreit hat[45]. Theoretisch könnte außerdem das Kartellrecht relevant werden; allerdings erscheint das Entstehen einer marktbeherrschenden Stellung bei Universitäten eher unwahrscheinlich. Je mehr

---

[42] *Krausnick*, Staat und Hochschule im Gewährleistungsstaat, S. 266.
[43] *Ebenda*, S. 269 ff.
[44] *Ebenda*, S. 272.
[45] Allgemeine Gruppenfreistellungsverordnung VO 800/2008 (ABl. L 214 v. 6.8.2008, S. 3 ff.). Diese gilt ausdrücklich für Forschungs-, Entwicklungs- und Innovationsbeihilfen, deren Zulässigkeit mit ausdrücklichem Verweis auf die Hochschulen bestätigt wird.

Marktmechanismen in das Hochschulwesen Eingang finden, desto mehr nähert sich die Hochschulbildung einer Dienstleistung an – eine Tendenz, die im Rahmen der WTO noch verstärkt wird, wie nachstehend zu erläutern sein wird.

5. Die Globalisierung der Hochschulbildung und die regionalen Integrationszonen

Durch die Verbreitung der Kommunikations- und Informationstechnologien haben die räumlichen Grenzen an Bedeutung verloren[46]. Wenn bis vor einigen Jahrzehnten eine „Zentrum-Peripherie-Struktur" bestand, in der in einer globalen Perspektive die USA das Zentrum der wissenschaftlichen Produktion darstellten, hat sich nun ein durchgehender Kommunikationsraum gebildet, bei dem geografische Schwerpunkte nahtlos ineinander übergehen[47]. Dieser Prozess bewegt sich in zwei Richtungen: Es findet einerseits eine wachsende Globalisierung statt. Unter diesem Begriff werden viele unterschiedliche Prozesse zusammengefasst: „Komplexität", „Entgrenzung", „Verdichtung sozialer Lebensräume", „Denationalisierung". Durch diese Prozesse wird die Globalisierung des Hochschulsektors zum Ausdruck eines „multidimensionalen Wandels"[48]. Globalisierung geht jedoch andererseits auch mit Regionalisierung einher, da sich innerhalb der globalen Netzwerke regionale Verdichtungen (Cluster) bilden[49].

Als weiteres neuartiges Phänomen ist auf nationalstaatlicher Ebene eine Konkurrenz um Forschungsmittel entstanden, die dazu geführt hat, dass Hochschul- und Forschungseinrichtungen strategische Partnerschaften im Ausland suchen, um ihre Chancen auf Mittelzuweisung zu erhöhen. Als Reaktion darauf wurden regionale Förderinstrumente, z. B. die EU-Forschungsförderung, mit dem Ziel geschaffen, einen grenzüberschreitenden regionalen Forschungsraum zu bilden. Auch die Beantragung von EU-Mitteln führt notwendigerweise zum Ausbau von Forschungskooperationen, da dies die Voraussetzung für die Gewährung der Finanzierung darstellt[50].

---

[46] *Anita Engels*, Globalisierung der universitären Forschung – Beispiele aus Deutschland und den USA, in: die hochschule 2006, S. 117. Ausführlicher dazu *Fraenkel-Haeberle*, Die Universität im Mehrebenensystem, S. 320 ff.

[47] *Ebenda*, S. 117.

[48] *Karola Hahn*, Die Globalisierung des Hochschulsektors und das „General Agreement on Trade in Services" (GATS), in: die hochschule 2003, S. 48 f.

[49] *Engels*, Globalisierung der universitären Forschung, S. 117.

[50] *Ebenda*, S. 130. Negativ betont wird allerdings in diesem Beitrag, dass die Beantragung der EU-Forschungsförderung besonders kosten- und arbeitsintensiv ist und daher als riskante Vorleistung zu betrachten ist.

Allerdings wird innerhalb Europas von „light mobility"[51] gesprochen: Mit diesem Ausdruck wird eine Mobilität bezeichnet, die keinen vollkommenen Paradigmenwechsel erforderlich macht, obwohl die im europäischen Ausland gemachten Erfahrungen eine Erweiterung des persönlichen Horizonts ermöglichen[52]. Anders zu bewerten ist die Situation bei Kooperationen, die insbesondere im Bereich der Umweltforschung entstehen und bei denen internationale Programme in Entwicklungsländern durchgeführt werden.

Der oben angesprochene Begriff der „Denationalisierung" des Hochschul- und Forschungswesens bringt den stetig zunehmenden Verlust der Steuerungsfähigkeit des Staates auf dem Hochschulsektor zum Ausdruck[53]. Dieser Prozess der Denationalisierung hat zur Aufnahme der Hochschulbildung in den Katalog des grenzüberschreitenden Handels mit Dienstleistungen und zur Unterzeichnung des GATS (*General Agreement on Trade in Services*) durch die Europäische Union geführt. Das Übereinkommen wurde 1994 (sog. Uruguay-Runde) geschlossen und dient als Regelwerk der Mitgliedstaaten der WTO für die fortschreitende Internationalisierung des Handels mit Dienstleistungen[54]. Es verpflichtet die Mitgliedstaaten, freien Marktzugang jedenfalls in den meisten Bildungsbereichen sowie die Gleichbehandlung von in- und ausländischen Anbietern zu gewährleisten. Dabei wurde ein Klassifikationsschema ausgearbeitet, das Dienstleistungen in zwölf Sektoren unterteilt. Im fünften Sektor befinden sich die Bildungsdienstleistungen (*Educational Services*), die wiederum in fünf Kategorien untergliedert sind: Primäre Bildungsdienstleistungen, sekundäre Bildungsdienstleistungen, höhere (tertiäre) Bildungsdienstleistungen, Erwachsenenbildung und andere Bildungsdienstleistungen[55]. Die Dienstleistungen werden ferner nach dem Erbringungsmodus unterschieden: Es gibt a) die grenzüberschreitende Dienstleistungserbringung (z. B. E-Learning); b) die Nutzung einer Dienstleistung im Ausland (z. B. ausländische Studierende in einem Gastland); c) die kommerzielle Präsenz ausländischer Dienstleister im Inland (z. B. Zweigstellen von Hochschulen

---

[51] *Ulrich Teichler*, Europäisierung, Internationalisierung, Globalisierung – quo vadis, Hochschule?, in: die hochschule 2003, S. 26.

[52] *Ebenda*, S. 26.

[53] *Hahn*, Die Globalisierung des Hochschulsektors, S. 56.

[54] *Ebenda*, S. 56 f.

[55] *Christoph Scherrer/Gülsan Yalçin*, Bildung als Gegenstand von Handelsvereinbarungen: Die neue GATS-Verhandlungsrunde, in: Wolff-Dietrich Webler (Hrsg.), Universitäten am Scheideweg?! – Chancen und Gefahren des gegenwärtigen historischen Wandels in Verfassung, Selbstverständnis und Aufgabenwahrnehmung, Bielefeld 2008, S. 156; vgl. auch *Stefan Huber*, Universitäten im Wettbewerb, Anmerkungen zu Vollrechtsfähigkeit, GATS und EG-Beihilfenrecht, in: zfhr 2003, S. 63 f.

in einem Gastland); d) die Präsenz natürlicher Personen in einem Gastland
(z. B. ausländische Dozenten und Wissenschaftler in einem Gastland)[56].
Dem Vorhaben einer Liberalisierung des Dienstleistungssektors stehen
daher mehrere Möglichkeiten offen. Zu den allgemeinen Verpflichtungen
gehört die sogenannte „Meistbegünstigungsklausel". Danach hat jeder
Mitgliedsstaat „hinsichtlich aller Maßnahmen, die unter dieses Übereinkommen fallen, den Dienstleistungen und Dienstleistungserbringern
eines anderen Mitglieds sofort und bedingungslos eine Behandlung" zu
gewähren, „die nicht weniger günstig ist als diejenige, die es den gleichen
Dienstleistungen oder Dienstleistungserbringern eines anderen Landes
gewährt"[57]. Die aus dem Unionsrecht bekannte Inländergleichbehand-
lung wird vom GATS nicht als allgemeine Verpflichtung vorgeschrieben.
Als Ausnahme können nämlich regionale Integrationszonen eingerichtet
werden, bei denen die innerhalb einer Zone gewährten Erleichterungen
nicht an andere Zonen weitergegeben werden müssen[58]. Die EU kann als
regionale Integrationszone angesehen werden. Nationale Qualifikations-
erfordernisse, technische Bestimmungen und Qualifikationsverfahren
dürfen keine unnötige Belastung der Dienstleistungsanbieter darstellen.
Vorgesehen ist daher eine allgemeine Verpflichtung zur Anerkennung
von ausländischen Qualifikationserfordernissen[59]. Neben diesen allgemeinen Liberalisierungsverpflichtungen gibt es horizontale Verpflichtungen
(sektionsübergreifende Verpflichtungen, die alle Dienstleistungsbereiche
betreffen) und sektorale Verpflichtungen, die ausschließlich einen Sektor
betreffen, z. B. den Bildungssektor[60].
Diese Klassifikationen ermöglichen eine sehr differenzierte Liberalisierung von Dienstleistungen. Der Regelungsbereich der Bildung gehört
zu den sogenannten „gemischten Zuständigkeiten" der EU und der Mitgliedstaaten. Deswegen kann die EU etwaige völkerrechtliche Verträge nur
gemeinsam mit den Mitgliedstaaten abschließen[61]. Die EU und die Mitgliedstaaten haben bereits in der Uruguay-Runde Zugeständnisse gemacht,
die wesentliche Erbringungsarten, wie etwa die Erbringung von Dienstleistungen im Ausland, die Nutzung von Dienstleistungen im Ausland und
die kommerzielle Präsenz von Dienstleistern im Ausland betreffen[62]. Sie
haben also Verpflichtungen in wichtigen Bereichen der Bildungsdienstleistungen zur Gleichstellung ausländischer Bildungsdienstleister übernom-

---

[56] *Scherrer/Yalçin*, Bildung als Gegenstand von Handelsvereinbarungen, S. 156.
[57] Art. II Abs. 1 GATS.
[58] Art. V GATS.
[59] Art. VII GATS.
[60] *Scherer/Yalçin*, Bildung als Gegenstand von Handelsvereinbarungen, S. 158.
[61] Art. 207 AEUV.
[62] *Hahn*, Die Globalisierung des Hochschulsektors, S. 57 f.

men. Diese Verpflichtungen wurden allerdings auf den privat finanzierten Dienstleistungssektor beschränkt und in die Liste der sektoralen Bildungsdienstleistungen eingetragen[63].

Die EU hat unter den „horizontalen Verpflichtungen" außerdem ergänzen lassen, dass solche „Dienstleistungen, die auf nationaler und örtlicher Ebene als öffentliche Aufgaben betrachtet werden, staatlichen Monopolen oder ausschließlichen Rechten privater Betreiber unterliegen"[64], vom freien Marktzugang ausgeschlossen werden können. Auch Subventionen an Bildungseinrichtungen wurden ausgenommen. Es wurde also eine wichtige Ausnahme festgehalten, welche die Daseinsvorsorge im Allgemeinen (Gesundheitswesen, Bildung, Infrastrukturleistungen) betrifft.

Das GATS sieht folgende Möglichkeit ausdrücklich vor: Auch wenn postsekundäre Bildungsdienstleistungen grundsätzlich in den Anwendungsbereich des GATS fallen, können hoheitliche Dienstleistungen wie die von öffentlichen Universitäten ausgenommen werden, wenn die besagten Dienstleistungen nicht auf kommerzieller Basis bzw. in einer Wettbewerbssituation erbracht werden[65]. Dabei wird die Wettbewerbssituation nicht kumulativ mit dem Erfordernis einer Tätigkeit auf kommerzieller Basis vorausgesetzt, weshalb sich die Frage stellt, ob diese Ausnahme Bestand haben wird. Ist doch im Hochschulwesen das Erfordernis des „Wettbewerbs" sehr wohl erfüllt, da von einer Konkurrenzsituation mit Privatuniversitäten auszugehen ist[66].

6. Schlussfolgerungen

Auf europäischer Ebene wurde ein Konzept erarbeitet, das auf dem Prinzip der regionalen Kooperation und auf der Anerkennung der Hochschulbildung als „öffentlichem Gut" beruht[67]. Demgegenüber entsteht durch das GATS eine Liberalisierung des Bildungsmarkts, die nach rein marktwirtschaftlichen Kriterien funktionieren soll. Durch das mit der Liberalisierung einhergehende Wettbewerbsdenken könnte jedoch

---

[63] Art. VII GATS.

[63] *Scherrer/Yalçin*, Bildung als Gegenstand von Handelsvereinbarungen, S. 158.

[64] Vgl. WTO 1994: Liste der spezifischen Verpflichtungen 1679. GATS/SC/31, 15.4.1994, Genf. In: Bundesgesetzblatt, Teil II, S. 1678–1683.

[65] Dieser Tatbestand wird in Art. 1 Abs. 3 Buchst. c) des GATS-Abkommens negativ definiert: „Für die Zwecke dieses Abkommens bedeutet der Begriff ‚in Ausübung hoheitlicher Gewalt erbrachte Dienstleistung' jede Art von Dienstleistung, die weder zu kommerziellen Zwecken noch im Wettbewerb mit einem oder mehreren Dienstleistungserbringern erbracht wird".

[66] *Scherrer/Yalçin*, Bildung als Gegenstand von Handelsvereinbarungen, S. 159.

[67] *Hahn*, Die Globalisierung des Hochschulsektors, S. 69.

ein „Zwei-Klassen-Hochschulsystem"[68] mit Studienprogrammen ohne kommerziellen Wert und privaten, marktorientiert handelnden Anbietern entstehen. Durch die Liberalisierung und Ökonomisierung besetzen neue Akteure den Bildungsmarkt. Die Zahl an privaten Hochschulen und kommerziellen Anbietern, virtuellen Hochschulen und Konsortien sowie regionalen Hochschulclustern wird weiter zunehmen. Ein relativ neues Phänomen ist in diesem Zusammenhang die Gründung privater Unternehmensuniversitäten – wie etwa der „Aldi (!) University" – vor allem im Bereich des Managements, der Wirtschafts- und Informationswissenschaften sowie der Kommunikationstechnologien[69].

Ganz besonders wird dieses Phänomen durch die Virtualisierung des Bildungsangebotes begünstigt, die das Vordringen international agierender Akteure (insbesondere britischer, australischer und US-amerikanischer Herkunft) in ehemals nationale Bildungsmärkte bewirkt[70]. Durch das GATS ist eine steigende Zahl transnationaler netzbasierter Lehrangebote zu erwarten, was jedoch erneut eher zu einer Kommerzialisierung der Hochschulbildung als zu einer (inhaltlichen) Internationalisierung von Studium und Lehre führen dürfte[71]. Es hat sich sogar das Phänomen des „Franchising", d. h. der Lizenzverleihung an ausländische Hochschulen, die Studienabschlüsse vergeben, verbreitet[72]. Die Befugnis, Abschlüsse zu verleihen (*Degree Awarding Power*) wird also jedenfalls teilweise auf ausländische Hochschulen übertragen. Es ist zu erwarten, dass Maßnahmen zur Sicherung von Qualitätsstandards in der transnationalen netzbasierten Lehre mit der angestrebten Deregulierung des Bildungsmarkts infolge des GATS einen erheblichen Bedeutungszuwachs erfahren werden[73]. Die Mehrzahl der nicht traditionellen Akteure strebt jedenfalls eine nationale oder internationale Zertifizierung oder Akkreditierung an.

Hingegen enthält das Unionsrecht keine hochschulrechtlichen Organisationsvorgaben. Es bildet allerdings auch für das mitgliedstaatliche Universitätsrecht eine Rahmenordnung, soweit seine Bestimmungen auf den Hochschulbereich einwirken ohne ihn direkt zu regeln. Die bedeutendsten Vorgaben des europäischen Hochschulrechts bestehen also hauptsächlich aus Programmen und Politiken, die allerdings ganz maßgeblich durch die europäischen Grundfreiheiten beeinflusst werden[74].

---

[68] *Ebenda*, S. 64.
[69] *Ebenda*, S. 53.
[70] *Ebenda*, S. 54.
[71] *Karola Hahn*, Die Internationalisierung der deutschen Hochschulen, Wiesbaden 2004, S. 215.
[72] *Hahn*, Die Globalisierung des Hochschulsektors, S. 54.
[73] *Hahn*, Die Internationalisierung der deutschen Hochschulen, S. 216.
[74] *Winkler*, Unionsrechtliche Dimension der Hochschulrechts, S. 63.

Eines Mangels an „harten Kompetenzen" zum Trotz hat sich die Europäische Kommission intensiv bemüht, eine Europäisierung des Hochschulwesens durch die Etablierung von Programmen zur Förderung der Kooperation und der internationalen Mobilität – insbesondere ERASMUS – zu unterstützen. Außerdem hat der europäische Integrationsprozess stark auf die Gleichwertigkeit der Studientitel gesetzt, um dadurch die Freizügigkeit der Arbeitnehmer zu fördern. Diesbezüglich stellt die Richtlinie Nr. 2005/36/EG[75] über die Anerkennung von Berufsqualifikationen eine Entwicklung dar, die das Universitätswesen indirekt beeinflusst, da sie den Studierenden eine verlässliche Grundlage für die spätere Anerkennung zur Verfügung stellt. Ferner ist die durch die Lissabon-Strategie eingeführte Offene Methode der Koordinierung zu nennen, durch welche sich die EU zum wettbewerbsfähigsten und dynamischsten wissensbasierten Wirtschaftsraum der Welt entwickeln soll. Dieses System beruht auf *Soft law* und auf weichen Kontrollinstrumenten, die keine Sanktionen auslösen, sondern Indikatoren und Benchmarks umfassen. Auf diese Weise soll ein freiwilliges Zusammenwirken der Mitgliedstaaten im Sinne des Subsidiaritätsprinzips und des Leistungswettbewerbs bewirkt werden. Abschließend ist darauf hinzuweisen, dass die mehrjährigen Rahmenprogramme (insbesondere *Horizon 2020* in der neuen Programmplanungsperiode 2014–2020) die Forschung und Innovation im europäischen Kontext auf der Grundlage des Art. 182 AEUV unterstützen sollen, auch wenn solcherlei Vorstöße mit dem nationalen Aufbau der noch wenig durchlässigen, nach nationalen Kriterien funktionierenden mitgliedstaatlichen Programmen zur Forschungsförderung zu kämpfen haben werden. Nicht zuletzt kommt hier das Spannungsverhältnis zwischen der Internationalität des Wissens auf der einen und der nationalen Prägung von Strukturen und Organisationen auf der anderen Seite zum Vorschein.

Aus diesen Ausführungen lässt sich der Schluss ziehen, dass das Wettbewerbsparadigma unter dem Einfluss des Unionsrechts nicht mit der Kommerzialisierung des Hochschulwesens gleichzusetzen ist, sondern dass das EU-Recht die Universität als öffentliches Gut betont. Das führt zu entsprechenden Ausnahmeregelungen, die der Eigengesetzlichkeit von Lehre und Forschung Rechnung tragen sollen.

Die Ökonomisierung der Hochschule ist vielmehr auf den Bologna-Prozess mit seiner Betonung der Berufsbefähigung (*employability*), der Kompetenz- statt der Wissensvermittlung sowie der Bemessung der Studieninhalte nach dem Prinzip des *workloads* – also von Arbeitsstunden –, als wäre das Studium etwas Abgeschlossenes, das sich genau wie die Tätigkeit am Fließband beliebig segmentieren ließe, zurückzuführen.

---

[75] Richtlinie 2005/36/EG v. 7.9.2005, ABl. L 255/22, Art. 13 Abs. 1.

Diese mittelbare Ökonomisierung des Hochschulwesens wirkt genauso stark wie die beschriebenen Globalisierungs- und Liberalisierungsbestrebungen. Mit der Öffnung des Marktes für andere Anbieter beginnt der Rückzug des Staates aus dem Bildungsmarkt. Auf diese Weise wird das Hochschulwesen zum eigentlichen Wirtschaftsfaktor. Die Aufnahme von Bildungsdienstleistungen in das *General Agreement on Trade in Services* der WTO lässt einen weiteren Globalisierungsschub erwarten, der für die Hochschulen und die Hochschulpolitik eine ganz neue Dimension des Wandels darstellen wird.

Claas Friedrich Germelmann

Das europäische Grundrecht auf Wissenschaftsfreiheit

I. Einführung

Die Wissenschaftsfreiheit ist ein Grundrecht, dessen hohe Bedeutung in der deutschen Rechtsordnung unbestritten ist.[1] Gesetzessystematisch wird dies nicht zuletzt durch das Fehlen eines ausdrücklichen Schrankenvorbehalts in Art. 5 Abs. 3 GG unterstrichen. Rechtsprechung und Literatur haben das Grundrecht und seine unterschiedlichen Funktionen darüber hinaus in einer derartigen Weise ausdifferenziert, dass sich auf seiner Grundlage ein eigenständiges Fachgebiet „Wissenschaftsrecht" etablieren konnte.[2] Im Bereich des übrigen öffentlichen Kulturrechts ist eine vergleichbare organisationsrechtliche Prägekraft allenfalls im Bereich der Rundfunkfreiheit zu beobachten.[3] All dies gilt für ein europäisches Grundrecht der Wissenschaftsfreiheit nicht, und zwar gleichermaßen, ob man die Grundrechtecharta der Europäischen Union oder aber die Europäische Menschenrechtskonvention betrachtet. Selbst in den Rechtsordnungen wichtiger Mitgliedstaaten spielt die Wissenschaftsfreiheit keine vergleichbare Rolle wie im deutschen Recht. Auf europäischer Ebene ist dieses Grundrecht demzufolge bislang auch wissenschaftlich wenig durchdrungen,[4] was verschiedene Gründe haben mag: Das Grundrecht der Wissenschaftsfreiheit ist im Vergleich eine verhältnismäßig junge Garantie. In

---

[1] Nachzeichnung der historischen Entwicklung bei *Löwer*, in: Merten/Papier (Hrsg.), HbGR IV, Heidelberg 2011, § 99, Rn. 4 ff.

[2] S. beispielhaft aus jüngerer Zeit *Gärditz*, Hochschulorganisation und verwaltungsrechtliche Systembildung, Tübingen 2009, S. 274 ff. und passim.

[3] Zur Rundfunkfreiheit monographisch etwa *Gersdorf*, Staatsfreiheit des Rundfunks in der dualen Rundfunkordnung, Berlin 1991, S. 85 ff. und passim; zu organisationsrechtlichen Aspekten des öffentlichen Kulturrechts *Germelmann*, Kultur und staatliches Handeln, Tübingen 2013, S. 439 ff.

[4] Es existieren neben der ebenfalls nicht umfangreichen Kommentarliteratur insbesondere aus der Zeit vor dem Inkrafttreten der Grundrechtecharta frühe Beiträge von *Classen*, WissR 1995, 97 (99 ff.); *Wagner*, DÖV 1999, 129; *Fink*, EuGRZ 2001, 193; ferner *Mann*, in: Heselhaus/Nowak (Hrsg.), Handbuch der Europäischen Grundrechte, München u. a. 2006, § 26, Rn. 49 ff. sowie die Monographie von *Groß*, Die Autonomie der Wissenschaft im Rechtsvergleich, Baden-Baden 1992.

WissR Beiheft 24 – S. 19–48
ISSN 0948-1478 – © Mohr Siebeck 2016

der EMRK findet es keine Erwähnung;[5] erst in der EU-Grundrechtecharta wurde es mit Art. 13 GRCh ausdrücklich verankert.[6] Hinzu kommt, dass in den europäischen Rechtsordnungen sehr unterschiedliche Regelungen und Kulturen in Bezug auf die Wissenschaftsfreiheit, ihren Gewährleistungsgehalt und ihren Rang im nationalen Recht bestehen,[7] so dass sich eine gemeineuropäische Garantie bislang nicht herausbilden konnte. Schließlich bestand auf europäischer Ebene bislang auch nur wenig Bedarf für eine entsprechende Gewährleistung. Abwehrrechtliche Streitigkeiten im Bereich der EMRK wurden durch den Europäischen Gerichtshof für Menschenrechte durch den Rückgriff auf parallele Gewährleistungen, wie etwa die Meinungsfreiheit, aufgefangen. Auf der Ebene der Europäischen Union bestand in Anbetracht der nur eingeschränkten Kompetenzen der supranationalen Ebene in diesem Bereich eine allenfalls begrenzte Regelungsnotwendigkeit.[8] Im Zuge der fortschreitenden EU-Förderung wissenschaftlicher Einrichtungen und Projekte sowie in Hinblick auf mögliche eigene Forschungs- und Lehreinrichtungen der EU[9] stellt sich die Frage indes in wachsendem Maße.

Einige Abgrenzungen erscheinen dabei erforderlich: So ist im Folgenden das Verhältnis der Wissenschaftsfreiheit zum allgemeinen Recht auf Bildung, das in Art. 14 GRCh normiert ist,[10] nur kurz und insofern anzusprechen, als eine systematische Überlagerung besteht. An sich sind beide Gewährleistungen durch die unterschiedlichen inhaltlichen Anforderungen trennbar[11] und unterliegen auch unterschiedlichen Sachgründen und Regelungsnotwendigkeiten. Während die Wissenschaftsfreiheit das unabhängige Streben nach belegbaren Erkenntnissen zum Gegenstand hat, soll das Recht auf Bildung vornehmlich eine gleiche Möglichkeit der kulturellen und gesellschaftlichen Teilhabe aller Bürger sichern. Überschneidungen bestehen im Bereich des Zugangs zu Hochschulbildung.

---

[5] Zur dogmatischen Verankerung in der Meinungsfreiheit nach Art. 10 EMRK sowie dem Recht auf Bildung nach Art. 2 des 1. Zusatzprotokolls zur EMRK s. noch unten II.2.

[6] Zur Genese der Norm s. *Mann*, in: Heselhaus/Nowak (Hrsg.), Handbuch der Europäischen Grundrechte, München u. a. 2006, § 26, Rn. 64 ff. Diese Norm schützt – ähnlich wie Art. 5 Abs. 3 GG – auch die Kunstfreiheit. Zu dieser – inhaltlich und strukturell teilweise verwandten – Regelung s. etwa *Britz*, EuR 2004, 1.

[7] Dazu im Einzelnen unten II.3.

[8] Vgl. *Gärditz*, Hochschulorganisation und verwaltungsrechtliche Systembildung, Tübingen 2009, S. 437; *von Coelln*, in: Friauf/Höfling (Hrsg.), Berliner Kommentar zum GG, Loseblatt, Berlin (49. EL 2016), C Art. 5 (3. Teil), Rn. 5.

[9] Vgl. die früheren Entscheidungen im Bereich der Forschungseinrichtungen unter dem Euratom-Vertrag EuGH, 27.6.1973, Rs. 35/72, Kley, Slg 1973, 679 mit Schlussanträgen des GA *Trabucchi* vom 5.4.1973, S. 692; 11.7.1974, Rs. 53/72, Guillot, Slg. 1974, 791.

[10] Vgl. dazu *Lindner*, WissR-Beih. 19 (2009), 52.

[11] In diesem Sinne auch *Prüm/Ergeç*, RDP 2010, 3 (11).

Ebenfalls soll hier keine nähere Auseinandersetzung mit den bei der Ausübung der Wissenschaftsfreiheit relevanten EU-Grundfreiheiten vorgenommen werden; in Betracht kommen neben der aktiven wie passiven Dienstleistungsfreiheit von Lehrenden und Lernenden, der Arbeitnehmerfreizügigkeit für Hochschulbedienstete[12] auch die Niederlassungsfreiheit bei der Gründung privater wissenschaftlicher Einrichtungen[13] sowie die Freizügigkeit der Unionsbürger als der in jüngerer Vergangenheit besonders wirksame Motor der Integration auf diesem Feld.[14] Von Interesse sind hier vornehmlich Fragen, die weniger mit der Freizügigkeit, als mit der Ausübung der Wissenschaftsfreiheit durch Forscher und Lehrende zusammenhängen.

Im Verhältnis zum nationalen Grundrechtsschutz, das hier ebenfalls nur gestreift werden soll, sind wegen der Frage der Anwendbarkeit der Grundrechtecharta die Kompetenzen der Union im Bereich des Wissenschaftsrechts von besonderer Bedeutung. Nachdem hier jedoch mit den Vorschriften über die Bildung nach den Art. 165 und 166 AEUV Zuständigkeiten bestehen, die auch die Hochschullehre als weiterführende Bildung (higher education, éducation supérieure) umfassen,[15] und die Wissenschaft zudem Bestandteil der Kultur im Sinne des Art. 167 AEUV ist, besitzt Art. 13 GRCh einen sachlichen Wirkungsbereich.[16] Da es sich bei den Zuständigkeiten der Union in diesem Bereich indes vornehmlich[17] um

---

[12] S. die Entscheidungen zur Ausgestaltung der Arbeitsverhältnisse von Fremdsprachenlektoren an italienischen Universitäten EuGH, 30.5.1989, Rs. 33/88, Allué I, Slg. 1989, 1591; 2.8.1993, verb. Rs. C-259/91, C-331/91 und C-332/91, Allué II, Slg. 1993, I-4309; 20.11.1997, Rs. C-90/96, Slg. 1997, I-6527; 26.6.2001, Rs. C-212/99, Kommission/Italien, Slg. 2001, I-4923; 18.7.2006, Rs. C-199/04, Kommission/Italien, Slg. 2006, I-6885. S. ferner auch EuGH, 17.7.2008, Rs. C-94/07, Raccanelli, Slg. 2008, I-5939.

[13] Vgl. etwa EuGH, 13.11.2003, Rs. C-153/02, Neri, Slg. 2003, I-13555. Relevant vor dem Hintergrund der Kapitalverkehrsfreiheit sind auch staatliche Regelungen, die steuerliche Vergünstigungen für Zuwendungen an wissenschaftliche Einrichtungen vorsehen; diese dürfen freilich nicht diskriminierend sein; s. EuGH, 16.6.2011, Rs. C-10/10, Kommission/Österreich, Slg. 2011, I-5389.

[14] Vgl. nur EuGH, 20.9.2001, Rs. C-184/99, Grzelczyk, Slg. 2001, I-6193; 11.7.2002, Rs. C-224/98, D'Hoop, Slg. 2002, I-6191; 15.3.2005, Rs. C-209/03, Bidar, Slg. 2005, I-2119; 18.11.2008, Rs. C-158/07, Förster, Slg. 2008, I-8507; 24.10.2013, Rs. C-220/12, Thiele Meneses; 26.2.2015, Rs. C-359/13, Martens; zuvor EuGH, 13.2.1985, Rs. 293/83, Gravier, Slg. 1985, 593.

[15] EuGH, 2.2.1988, Rs. 24/86, Blaizot, Slg. 1988, 379; 13.2.1985, Rs. 293/83, Gravier, Slg. 1985, 593.

[16] S. auch *Sasse*, VerwArch. 2013, 237 (250 f.). Zu eng für Art. 14 GRCh wohl *Lindner*, WissR-Beih. 19 (2009), 55.

[17] Echte Harmonisierungszuständigkeiten bestehen im Bereich der Angleichung der Hochschuldiplome als Berufsausübungsvoraussetzungen, die gerade im Zusammenhang mit der Lehrfreiheit Einfluss auf die Wissenschaftsfreiheit besitzen. Eine vollständige Harmonisierung besteht hier freilich nicht; s. etwa in diesem Zusammenhang EuGH, 17.12.2009, Rs. C-586/08, Rubino, Slg. 2009, I-12013.

Unterstützungs- und Ergänzungskompetenzen im Sinne des Art. 6 AEUV handelt, die eine Kultur- und Wissenschaftsförderung der EU begründen, muss die Abgrenzung zur Zuständigkeit der Mitgliedstaaten und damit dem nationalen Grundrechtsschutz im Einzelfall präzise bestimmt werden.[18] Der Schwerpunkt der Untersuchung soll auch hier auf der Ebene der europäischen Gewährleistung liegen.

II. Die Verankerung der Wissenschaftsfreiheit in den europäischen Grundrechten

Die Wissenschaftsfreiheit als Grundrecht ist in den europäischen Rechtsordnungen an unterschiedlicher Stelle verankert. Für das europäische Grundrecht auf Wissenschaftsfreiheit sind sowohl die Kataloge der EU-Grundrechtecharta als auch der EMRK sowie rechtsvergleichende Erkenntnisse aus den nationalen Rechts- und Verfassungsordnungen von Bedeutung.

1. Die Wissenschaftsfreiheit nach Art. 13 GRCh

Die Rechtsprechung des EuGH zu Art. 13 GRCh sowie zu den allgemeinen Rechtsgrundsätzen[19] als Vorläufer der Grundrechtsgewährleistung nach der Charta ist in Bezug auf die Wissenschaftsfreiheit äußerst spärlich.[20] Zwar existieren Entscheidungen, die wissenschaftsrelevante Sachverhalte zum Gegenstand haben. Zu nennen sind hier insbesondere die Streitigkeiten um Biopatente, in Bezug auf welche EU-Regeln bestehen und die die Frontstellung zwischen wissenschaftlicher Erkenntnis einerseits und Menschenwürde sowie Lebensschutz andererseits deutlich hervortreten lassen.[21] Einschränkungen bei der Patentierbarkeit von Erfin-

---

[18] S. zur Reichweite in jüngerer Zeit die differenzierende Rechtsprechung des EuGH, 6.3.2014, Rs. C-206/13, Cruciano Siragusa, Rn. 24 ff.; 10.7.2014, Rs. C-198/13, Hernández, Rn. 33 ff.; ferner EuGH, 26.2.2013, Rs. C-399/11, Melloni, Rn. 55 ff.

[19] Dazu mit Blick auf das allgemeine Völkerrecht *Wagner*, DÖV 1999, 129 (133 ff.); ferner auch *Fink*, EuGRZ 2001, 193 (198).

[20] Vgl. *Gärditz*, Hochschulorganisation und verwaltungsrechtliche Systembildung, Tübingen 2009, S. 433. Zuweilen löst der EuGH die entsprechenden Fälle in der Zeit vor Inkrafttreten der Grundrechtecharta (entsprechend der EGMR-Rechtsprechung zur EMRK, s. u. 2.) unter Heranziehung des Rechts auf Meinungsfreiheit; s. EuGH, 13.12.2001, Rs. C-340/00 P, Cwik, Slg. 2001, I-10269, Rn. 18 ff., 28; 6.3.2001, Rs. C-274/99 P, Connolly, Slg. 2001, I-1611, Rn. 43 ff.; *Winkler*, in: Mayer/Stöger (Hrsg.), EUV, AEUV, Loseblatt, Wien 2011, Art. 6 EUV, Rn. 214.

[21] Vgl. allgemein dazu, wenngleich mit einem stärkeren Gewicht auf der Grenze der Menschenwürde als auf einer Abwägung mit der Forschungsfreiheit *Starck*, EuR 2006, 1; *Vöneky/Petersen*, EuR 2006, 340. Ein vergleichbares Beispiel bietet das Gentechnikrecht; s. bereits *Wagner*, DÖV 1999, 129 (130).

dungen stellen mittelbare Beeinträchtigungen der Forschungsfreiheit dar, auch wenn sie sich primär auf die nachgelagerte Ebene der wirtschaftlichen Verwertung beziehen.[22] Die Abwägung zwischen den konkurrierenden Grundrechten der Wissenschaftsfreiheit einerseits und der Menschenwürde sowie des Lebensschutzes andererseits stellt die maßgebliche Entscheidungsbasis dar. Indes ging der EuGH in diesen Rechtssachen auf die Grundsatzfrage regelmäßig nicht näher ein, sondern löste den Streit in Auslegung des einfachen Richtlinienrechts.[23] Bei der Ausgestaltung der zugrundeliegenden Rechtsnormen stellt sich die Abwägungsfrage für den Unionsgesetzgeber freilich dennoch.[24] Dabei erscheint die Zurückhaltung des EuGH zugunsten des EU-Gesetzgebers, die in den einschlägigen Entscheidungen den Verzicht auf eine detaillierte Auseinandersetzung mit dem Wissenschaftsgrundrecht erklärt, in einem derart wertungsabhängigen Feld durchaus berechtigt. Auch die literarische Kritik setzte seltener auf der grundrechtlichen Ebene an, sondern hob wie der EuGH auf das einfache Recht ab.[25] Zuweilen wurde indes die wohl zu weitgehende Ansicht vertreten, die Rechtsprechung habe unmittelbare Auswirkungen auf die rechtlichen Möglichkeiten der EU-Forschungsförderung in diesem Bereich.[26]

Die Gewährleistung der Wissenschaftsfreiheit nach der Grundrechtecharta beinhaltet zwei Komponenten, nämlich einerseits die in Art. 13 Satz 1 GRCh ausdrücklich erwähnte (parallel zur Kunstfreiheit stehende) Forschungsfreiheit (recherche scientifique, scientific research, ricerca scientifica)[27] und andererseits die in Satz 2 nochmals gesondert erwähnte

---

[22] Skeptisch *Jarass*, EU-GRCh, 2. Aufl., München 2013, Art. 13, Rn. 7, der insoweit die Einschlägigkeit der unternehmerischen Freiheit erwägt. In der Tat dürften aber staatliche Maßnahmen, die wie im Falle der Biopatente an die inhaltliche Forschungsarbeit anknüpfen, auch hinsichtlich der sich auf die Forschung selbst auswirkenden Verwertung schwerpunktmäßig die Wissenschaftsfreiheit betreffen.

[23] Vgl. insb. EuGH, 18.10.2011, Rs. C-34/10, Brüstle, Rn. 30 ff.; dazu etwa *Dederer*, EuR 2012, 336; *Starck*, JZ 2012, 145; *Taupitz*, in: FS Riedel, Berlin 2013, S. 505; EuGH, 18.12.2014, Rs. C-364/13, International Stem Cell Corporation. Hier ging es um die Auslegung des Begriffs „Embryo" i. S. der Biopatent-Richtlinie 98/44/EG. S. ferner deutlich auch die Schlussanträge des GA *Bot* vom 10.3.2011 in der Rs. C-34/10, Brüstle, Rn. 41, 45.

[24] Vgl. insofern die Erwägungsgründe 16 ff., 38 der Biopatent-Richtlinie 98/44/EG.

[25] Vgl. etwa *Taupitz*, in: FS Riedel, Berlin 2013, S. 505 (512 ff.). Unmittelbare Rückwirkungen auf die Forschungsförderung der EU haben die Entscheidungen dabei wegen der insofern begrenzten Aussagekraft nicht; so zu Recht *Taupitz*, a. a. O., S. 518 f.

[26] So etwa *Starck*, JZ 2002, 145 (147). Zu Recht dagegen *Dederer*, EuR 2012, 336 (342 f.). Zu völkerrechtlichen Rahmenvorgaben in diesem Bereich sowie zur unionsrechtlichen Förderpraxis s. EU Network of Independent Experts on Fundamental Rights, Commentary on the Charter of Fundamental Rights, 2006, Art. 13 Anm. I.2., II.3.

[27] Sie umfasst sowohl inhaltliche Freiheit als auch Methodenfreiheit; s. allgemein *Prüm/Ergeç*, RDP 2010, 3 (13).

„akademische Freiheit" (liberté académique, academic freedom, libertà academica). Hierunter ist zwar nicht nur, wohl aber auch die Lehrfreiheit zu verstehen.[28] Während die Garantie der Forschungsfreiheit auf den Vorgang der wissenschaftlichen Erkenntnisgewinnung abhebt und vor behindernden und verfälschenden Einflussnahmen schützt, bezieht sich der bewusst weit gefasste Begriff der akademischen Freiheit, der in anderen Rechtsordnungen als Rechtsbegriff durchaus verbreiteter als in der deutschen Dogmatik ist, auf die im akademischen Leben notwendigen Freiheiten der Vermittlung und des wissenschaftlichen Austauschs, zu dem u. a. auch die Weitergabe der Erkenntnisse in der Lehre gehört. Das Grundrecht der Wissenschaftsfreiheit nach Art. 13 GRCh ist danach als inhaltlich umfassende Schutzgewährleistung zu verstehen.[29]

2. Die Gewährleistung der Wissenschaftsfreiheit nach der EMRK

Im Text der EMRK findet sich keine ausdrückliche Gewährleistung der Wissenschaftsfreiheit. Die EMRK unterscheidet sich darin nicht von anderen traditionellen internationalen Menschenrechtskatalogen wie insbesondere dem Internationalen Pakt über bürgerliche und politische Rechte[30] oder der – rechtlich unverbindlichen – Allgemeine Erklärung der Menschenrechte von 1948.[31] Lediglich im Internationalen Pakt über wirtschaftliche, soziale und kulturelle Rechte finden sich entsprechende Regelungen: In Art. 13 IPwskR wird ein allgemeines Recht auf Bildung normiert, das seinem Wortlaut (Abs. 2 lit. c) und seiner Zielsetzung nach auch die Hochschulbildung erfasst. In Art. 15 IPwskR ist der immaterielle und materielle Schutz des Urhebers wissenschaftlicher Werke (Abs. 1 lit. c) ebenso wie die Forschungsfreiheit (Abs. 3) garantiert und eine – freilich nicht näher

---

[28] Enger offenbar *von Coelln*, in: Friauf/Höfling (Hrsg.), Berliner Kommentar zum GG, Loseblatt, Berlin (49. EL 2016), C Art. 5 (3. Teil), Rn. 6, der sie nur auf die Lehrfreiheit bezieht. *Ruffert*, in: Calliess/ders. (Hrsg.), EUV/AEUV, 4. Aufl., München 2011, Art. 13 GRCh, Rn. 9 fasst demgegenüber hierunter auch organisatorische Freiheitssicherungen.

[29] In diesem Sinne auch *Jarass*, EU-GRCh, 2. Aufl., München 2013, Art. 13, Rn. 6 ff.

[30] Dieser erkennt ebenfalls nur die Meinungs- und Informationsfreiheit nach Art. 19 Abs. 1 und 2 IPbpR an; wissenschaftliche Erkenntnisse können freilich unter diese Gewährleistungen subsumiert werden. Vgl. hierzu etwa den Fall des französischen Universitätsprofessors *Faurisson*, der Umfang und Methoden des Holocaust leugnete; MR-Komitee der VN, 8.11.1996, Comm. No. 550/1993, UN Doc. CCPR/C/58/D/550/1993(1996) – Faurisson/Frankreich (Loi Gayssot).

[31] Auch hier ist thematisch lediglich das Recht auf Meinungs- und Informationsfreiheit nach Art. 19 AEMR sowie das allgemeine kulturelle Teilhaberecht sowie der Urheberschutz, die beide ausdrücklich auch wissenschaftliche Erkenntnisse umfassen, nach Art. 27 AEMR einschlägig. Art. 26 AEMR enthält ferner eine Garantie des Rechts auf Bildung.

spezifizierte – Gewährleistungsverantwortung der Vertragsstaaten für die Aufrechterhaltung und Ermöglichung wissenschaftlicher Betätigung normiert (Abs. 2).[32] Die UNESCO hat unter Bezugnahme auf die Allgemeine Erklärung der Menschenrechte sowie Art. 13 IPwskR ihrerseits ebenfalls rechtlich unverbindliche Empfehlungen hinsichtlich der Stellung des Hochschulpersonals abgegeben.[33]

In der Rechtsprechung des EGMR ist indes anerkannt, dass die Freiheit der Wissenschaft als Teil der Meinungsfreiheit nach Art. 10 EMRK gewährleistet ist.[34] Dies gilt jedenfalls so weit, wie dieses Recht reicht, betrifft also namentlich die Äußerung wissenschaftlicher Meinungen sowie die Veröffentlichung von Forschungsergebnissen.[35] Im Vergleich zur allgemeinen Meinungsäußerungsfreiheit misst der EGMR der wissenschaftlichen Aussage also einen zusätzlichen schutzwürdigen Wert bei.[36] Die Ableitung der Wissenschaftsfreiheit aus Art. 10 EMRK spricht zudem dafür, den in der Rechtsprechung des EGMR effektiv und weit ausgestalteten Schutzbereich der Meinungsfreiheit mutatis mutandis auch auf jenes Grundrecht zu übertragen. Dies bedeutet, dass es insbesondere zu der wissenschaftlichen Äußerungsfreiheit gehört, auch kontroverse Thesen zu vertreten[37] und sich gegebenenfalls kritisch mit der Hochschule selbst

---

[32] Vgl. *Prüm/Ergeç*, RDP 2010, 3 (9). Art. 13 Abs. 4 IPwskR verweist ohne Formulierung einer bindenden Verpflichtung auf die internationale Kooperation in diesem Bereich.

[33] UNESCO Recommendation concerning the Status of Higher-Education Teaching Personnel vom 11.11.1997 (abrufbar unter http://portal.unesco.org/). Der umfangreiche und detaillierte Text fordert u. a. sowohl eine institutionelle Autonomie von Hochschulen als auch eine persönliche Freiheit der Hochschulangehörigen.

[34] *Sudre*, Droit européen et international des droits de l'homme, 12. Aufl., Paris 2015, Rn. 539; *Bartole/de Sena/Zagrebelsky*, Commentario breve alla CEDU, Padua 2012, Art. 10, Rn. 6; *Grabenwarter/Pabel*, Europäische Menschenrechtskonvention, 5. Aufl., München u. a. 2012, § 23, Rn. 12. Aus der Rechtsprechung EGMR, 23.6.2009, 17089/03, Sorguç/Türkei, §§ 21 ff.; ferner EGMR, 8.6.2010, 44102/04, Sapan/Türkei, § 34; 25.8.1998, 59/1997/843/1049, Hertel/Schweiz, §§ 35 ff. Diese Verbindung findet sich auch im Verfassungsrecht der Vereinigten Staaten; s. dazu *Barendt*, Academic Freedom and the Law, Oxford u. a. 2010, S. 11 ff., 173 ff.

[35] EGMR, 23.6.2009, 17089/03, Sorguç/Türkei, §§ 27 ff.; 13.2.2001, 38318/97, Lunde/Norwegen; s. auch EGMR, 22.11.2001, 39793/98, Petersen/Deutschland; *Grabenwarter/Pabel*, Europäische Menschenrechtskonvention, 5. Aufl., München u. a. 2012, § 23, Rn. 12. S. auch EGMR (GK), 15.3.2012, 4149/04, Aksu/Türkei, §§ 62 ff., 71.

[36] EGMR, 8.6.2010, 44102/04, Sapan/Türkei, § 34.

[37] Vgl. EGMR, 25.8.1998, 59/1997/843/1049, Hertel/Schweiz, § 50. Dezidiert auch *Laffaille*, AJDA 2010, 215 (217); *Kuri/Marguénaud*, Dalloz 2010, 2921 (2924). Bei der Bewertung wissenschaftlicher Debatten hält sich der EGMR sachlich oft zurück; s. etwa besonders prominent EGMR (GK), 15.10.2015, 27510/08, Perinçek/Schweiz, §§ 213 ff. (zum Streit um die Einordnung der Verbrechen des osmanischen Reiches gegenüber den Armeniern als Völkermord).

auseinanderzusetzen.[38] Das Erfordernis des Pluralismus[39] besteht gerade auch im wissenschaftlichen Diskurs. Hinsichtlich der Mittel ist jegliche Art der Verbreitung und des Austauschs vom Grundrechtsschutz abgedeckt.[40] So ist auch die Freiheit der Lehre nach denselben Parametern erfasst;[41] denn gerade hier werden Erkenntnisse und Meinungen verbreitet.[42] Art. 10 EMRK erfasst alle präventiven wie repressiven, unmittelbaren wie mittelbaren Eingriffsformen.[43] Im Interesse einer möglichst weitreichenden Freiheitsausübung unterliegt die Wissenschaftsfreiheit dabei wie die Meinungsfreiheit dem strengen Schrankenvorbehalt des Art. 10 Abs. 2 EMRK.[44] Grenzen der Wissenschaftsfreiheit bestehen insbesondere in Grundrechten Dritter, die im Konfliktfall eine Abwägung erforderlich machen.[45] Darüber hinaus entspricht es der Zielrichtung der Meinungs- wie der Wissenschaftsfreiheit, dem Staat Schutzpflichten aufzuerlegen, um den

---

[38] Vgl. EGMR, 23.6.2009, 17089/03, Sorguç/Türkei, §§ 31 ff.; dazu *Flauss*, AJDA 2009, 1936 (1944); ferner *Renucci*, Droit européen des droits de l'homme, Paris 2012, S. 194. Vgl. auch EGMR, 3.3.2009, 36458/02, Temel u. a./Türkei, § 44 (unverhältnismäßige Sanktionen für die Forderung nach der Einführung kurdischsprachiger Kurse an der Universität).

[39] Im Zusammenhang mit der Meinungsfreiheit s. m. w. N. aus der Rechtsprechung *Bartole/de Sena/Zagrebelsky*, Commentario breve alla CEDU, Padua 2012, Art. 10, Rn. 6.

[40] Zum Schutzbereich der Meinungsfreiheit näher *Bartole/de Sena/Zagrebelsky*, Commentario breve alla CEDU, Padua 2012, Art. 10, Rn. 6 ff.; *Sudre*, Droit européen et international des droits de l'homme, 12. Aufl., Paris 2015, Rn. 540.

[41] EGMR (GK), 28.10.1999, 28396/95, Wille/Liechtenstein, §§ 36 ff.; *Grabenwarter/Pabel*, Europäische Menschenrechtskonvention, 5. Aufl., München u. a. 2012, § 23, Rn. 12.

[42] Entscheidend für die Einschlägigkeit der Wissenschaftskomponente im Bereich der Meinungsfreiheit der Art. 10 EMRK müssen Inhalt und Methoden sein; vgl. für den Fall einer primär politischen Äußerung eines Universitätsangehörigen EGMR, 7.6.2011, 48135/08, Gollnisch/Frankreich.

[43] Zum Eingriffsbegriff näher *Grabenwarter/Pabel*, Europäische Menschenrechtskonvention, 5. Aufl., München u. a. 2012, § 23, Rn. 13 ff.

[44] Vgl. *Renucci*, Droit européen des droits de l'homme, Paris 2012, S. 193. S. beispielhaft EGMR, 25.8.1998, 59/1997/843/1049, Hertel/Schweiz, §§ 35 ff.; ferner auch EGMR, 7.6.2011, 48135/08, Gollnisch/Frankreich; allgemein und zentral EGMR (Plenum), 7.12.1976, 5493/72, Handyside/VK, Série A n° 24, §§ 49 ff.; s. auch EGMR (GK), 28.10.1999, 28396/95, Wille/Liechtenstein, §§ 57 ff.

[45] Vgl. beispielhaft EGMR (GK), 15.3.2012, 4149/04, Aksu/Türkei, §§ 62 ff. In der Entscheidung hatte der Gerichtshof die staatliche Finanzierung eines wissenschaftlichen Werkes zu bewerten, dem der Beschwerdeführer, ein Angehöriger der Roma, diskriminierende Inhalte vorwarf und daher eine Verletzung des Art. 8 EMRK rügte. Er gestand dabei den nationalen Gerichten in ihren Bewertungen Entscheidungsspielräume zu, sofern effektive Rechtsschutzmöglichkeiten gewährleistet waren. Abl. das Sondervotum des Richters *Gyulumyan*, das für eine striktere inhaltliche Kontrolle plädierte (§§ 6 ff. des Sondervotums). S. auch für Relativierungen des nationalsozialistischen Unrechts EGMR, 7.6.2011, 48135/08, Gollnisch/Frankreich. Für Werturteile über die wissenschaftliche Kompetenz anderer Personen EGMR, 23.6.2009, 17089/03, Sorguç/Türkei, §§ 32 ff. Zu unwahren Tatsachenbehauptungen aufgrund unzureichender Recherche EGMR, 13.2.2001, 38318/97, Lunde/Norwegen.

freien Austausch der wissenschaftlichen Meinungen und Erkenntnisinhalte zu ermöglichen und zu fördern.[46] Freilich kann diese Schutzpflicht nicht unbegrenzt gelten; daher steht dem Staat eine Einschätzungsprärogative zu, die durch die Wertungen der Schrankenbestimmung des Art. 10 Abs. 2 EMRK geleitet wird.

Eine weitere Komponente der Wissenschaftsfreiheit sieht der Gerichtshof in dem Recht auf Bildung nach Art. 2 Satz 1 des 1. Zusatzprotokolls zur EMRK, das sich seiner Zielrichtung nach auch auf den Zugang zu Universitäten sowie die Beschränkungen bei der Wahrnehmung des universitären Angebots bezieht.[47] Hinsichtlich der finanziellen Förderpflichten gesteht die Rechtsprechung den Staaten auch hier weite Ermessensspielräume zu.[48] Eine gewisse dogmatische Schwierigkeit besteht in der Abgrenzung zwischen den Gewährleistungsgehalten von Art. 2 des 1. Zusatzprotokolls und Art. 10 EMRK. Es spricht viel dafür, die Tätigkeit des Wissenschaftlers sowie ihre staatlichen Rahmenbedingungen dem Schutz des Art. 10 EMRK mit dem strengen Schrankenvorbehalt in Abs. 2 der Norm[49] zu unterstellen und Zugangsfragen über Art. 2 des 1. Zusatzprotokolls zu lösen.[50]

In Bezug auf die Hochschulen ist die Wissenschaftsfreiheit nach der EMRK in der Rechtsprechung nur wenig ausjudiziert. Allerdings werden von Art. 10 EMRK nicht nur die Wissenschaftler als natürliche Personen geschützt. Vielmehr erstreckt sich der Schutz auch auf die Hochschulen selbst, die über dieses Grundrecht einen Anspruch auf Autonomie begründen können, der sich insbesondere auf die Auswahl ihres Personals bezieht.[51] Dies gilt auch für Universitäten in der Rechtsform des öffentlichen Rechts, die unabhängig davon eines grundrechtlichen Schutzes

---

[46] Vgl. für die Meinungsfreiheit in diesem Sinne *Sudre*, Droit européen et international des droits de l'homme, 12. Aufl., Paris 2015, Rn. 541 f.

[47] S. etwa EGMR (GK), 10.11.2005, 44774/98, Şahin/Türkei, §§ 134 ff.; EGMR, 3.3.2009, 36458/02, Temel u. a./Türkei, §§ 38 ff.; 2.4.2013, 25851/09 u. a., Tarantino u. a./Italien, § 43 ff.; ferner *Flauss*, AJDA 2009, 1936 (1943); *Novak*, WissR 35 (2002), 45 (63); *Jacobs/White/Ovey*, The European Convention on Human Rights, 6. Aufl., Oxford 2014, S. 520; *Clayton/Tomlinson*, The Law of Human Rights, Vol. I, 2. Aufl., Oxford 2009, Rn. 19.62 ff.

[48] *Jacobs/White/Ovey*, The European Convention on Human Rights, 6. Aufl., Oxford 2014, S. 536. Für die verwandte Frage einer Ausgestaltung eines numerus clausus s. EGMR, 2.4.2013, 25851/09 u. a., Tarantino u. a./Italien, § 47 ff.

[49] Die strikte Kontrolle hebt der EGMR insbesondere auch in Fällen der Wissenschaftsfreiheit hervor; s. etwa EGMR, 20.10.2009, 39128/05, Lombardi Vallauri/Italien, § 45.

[50] Vgl. anders die abweichende Meinung des Richters *Cabral Barreto* in EGMR, 3.3.2009, 36458/02, Temel u. a./Türkei, der für eine Lösung über Art. 10 EMRK plädierte.

[51] EGMR, 20.10.2009, 39128/05, Lombardi Vallauri/Italien, § 41; *Laffaille*, AJDA 2010, 215 (218); *Renucci*, Droit européen des droits de l'homme, Paris 2012, S. 193. Im zitierten Fall kam die weltanschauliche Ausrichtung der katholischen Universität hinzu, die einen besonderen Tendenzschutz rechtfertigte.

gegenüber dem Staat bedürfen.[52] Dass hierbei Konflikte mit dem Individualgrundrecht der Wissenschaftler entstehen können, liegt auf der Hand und ist im Wege der Abwägung anhand der Schrankenkriterien des Art. 10 Abs. 2 EMRK zu lösen.[53] Gewisse weitergehende Anhaltspunkte ergeben sich aus der – rechtlich unverbindlichen – Empfehlung der Parlamentarischen Versammlung des Europarats Nr. 1762 (2006), die von dem EGMR ausdrücklich in der Sache herangezogen wird.[54] Sie normiert neben der Freiheit der Forschung und der Lehre insbesondere eine – freilich nicht näher definierte – institutionelle Unabhängigkeit der Universitäten. Inwieweit auch dem Art. 10 EMRK über das individualrechtliche Element hinaus ein organisationsrechtlicher Gehalt im Interesse der Freiheit der Forschung entnommen werden kann, ist in der Rechtsprechung zumindest bislang nicht entschieden. In keinem Fall lässt sich die differenzierte Rechtsprechung zum deutschen Art. 5 Abs. 3 GG übertragen, was Inhalte, Rahmenbedingungen und Organisation der Hochschullandschaft angeht.[55]

Eine Drittwirkung der Wissenschaftsfreiheit im Verhältnis zu Privaten hat der Gerichtshof schließlich bislang nicht ausdrücklich angenommen.[56] So

---

[52] Dies klingt in der Entscheidung EGMR, 20.10.2009, 39128/05, Lombardi Vallauri/Italien, § 41 an. Eine genaue dogmatische Begründung liefert der EGMR nicht; in der Sache dient die Freiheit der Universität als ganzer der Wissenschaftsfreiheit jedes einzelnen Wissenschaftlers, da sie die nötigen Rahmenbedingungen für eine Ausübung dieser Freiheit setzt. Für eine Grundrechtsberechtigung der Hochschulen auch *Gärditz*, Hochschulorganisation und verwaltungsrechtliche Systembildung, Tübingen 2009, S. 432.

[53] S. insb. EGMR, 20.10.2009, 39128/05, Lombardi Vallauri/Italien, §§ 45 ff.; krit. zum Ergebnis mit jeweils entgegengesetzten Gewichtungen der Freiheit des Wissenschaftlers und der Universität *Flauss*, AJDA 2010, 997 (1005 f.); *Laffaille*, AJDA 2010, 215 (216 f.). Der Gerichtshof stellte in seiner Entscheidung insbesondere auf die unzureichenden Rechtsschutzmöglichkeiten gegen die Verweigerung der Weiterbeschäftigung des Beschwerdeführers ab, so dass er sich einer abschließenden inhaltlichen Abwägung der betroffenen Rechtspositionen weitgehend enthielt (vgl. v. a. § 55); krit. dazu *Tavernier*, JDI 2010, 1025 (1028); zust. *Kuri/Marguénaud*, Dalloz 2010, 2921 (2923 f.).

[54] Recommendation 1762 (2006) „Academic freedom and university autonomy" der Parlamentarischen Versammlung vom 30.6.2006, die sowohl individuelle Rechtspositionen der Wissenschaftler als auch institutionelle Garantien der Universitäten postuliert und den Versuch unternimmt, sie in Beziehung zur gesellschaftlichen Aufgabe der Hochschulen zu stellen. Inbezugnahme etwa in EGMR, 23.6.2009, 17089/03, Sorguç/Türkei, §§ 21, 35; 20.10.2009, 39128/05, Lombardi Vallauri/Italien, § 24. Zu weiteren (rechtlich unverbindlichen) Erklärungen im internationalen Bereich, wie etwa seitens der UNESCO s. *Birtwistle*, Education and the Law 16 (2004), 203 f.

[55] So zutr. auch *Gärditz*, Hochschulorganisation und verwaltungsrechtliche Systembildung, Tübingen 2009, S. 433.

[56] Es bestehen freilich Tendenzen, die im Zusammenhang mit anderen Grundrechten die Begründung staatlicher Schutzpflichten gerade im Bereich des (insbesondere kirchlichen) Arbeitsrechts begründen. S. etwa EGMR, 23.9.2010, 1620/03, Schüth/Deutschland, §§ 54 ff.; EKMR, 6.9.1989, 12242/86, Rommelfanger/Deutschland; ferner die Nachw. bei *Sudre*, Droit européen et international des droits de l'homme, 11. Aufl., Paris 2012, Rn. 334.

erscheint der Schutz der Wissenschaftsfreiheit gerade auch in Fällen privater Hochschuleinrichtungen nötig zu sein; auch in diesen Fällen muss dem Wissenschaftler die Möglichkeit gegeben sein, sein Grundrecht effektiv gegenüber der Anstellungshochschule geltend zu machen.[57] Dies kann freilich ebenfalls durch effektive staatliche Schutzpflichten gewährleistet werden.[58]

3. Die Verankerung der Wissenschaftsfreiheit in den nationalen Rechtsordnungen der Mitgliedstaaten

In den nationalen Rechtsordnungen der Mitgliedstaaten ist die Verankerung der Wissenschaftsfreiheit äußerst unterschiedlich ausgestaltet. In manchen Rechtsordnungen besitzt sie Verfassungsrang, während sie in anderen nur einfachgesetzlich gewährleistet ist.[59] Auch die traditionelle Bedeutung unterscheidet sich in den einzelnen Rechtsordnungen. Dies zeigt sich etwa in der dogmatischen und gesetzgeberischen Einordnung. Während das Wissenschaftsrecht in Deutschland ein eigener Teilbereich des öffentlichen Rechts ist, steht es in anderen Ländern als Teil des allgemeinen Bildungsrechts im inneren Zusammenhang mit dem Schulrecht. Das kann jedenfalls in den Wertungen bei der Stellung der Hochschullehrer o. ä. zu erheblichen Wahrnehmungs- und Wertungsunterschieden führen. Daher kann man nach wie vor nicht von einer gemeineuropäischen Tradition des Wissenschaftsrechts sprechen. In manchen Rechtsordnungen haben die Hochschulen gerade in der jüngeren Vergangenheit zudem nicht unwesentliche Neuerungen insbesondere im organisatorischen Bereich (Deutschland, Frankreich) oder bei der Hochschulfinanzierung (England) erfahren. Konvergenzen in der grundrechtlichen Gewährleistung sind damit freilich dennoch nicht ausgeschlossen.

a. Deutschland und Österreich

Sowohl im deutschen wie im österreichischen Recht findet sich eine grundrechtliche Verankerung der Wissenschaftsfreiheit in den Verfassungstexten, wenngleich ihre Bedeutung in den jeweiligen wissenschaftlichen Debatten unterschiedlich stark ausgeprägt ist.

---

[57] In diesem Sinne auch die Kernaussage der Entscheidung EGMR, 20.10.2009, 39128/05, Lombardi Vallauri/Italien, §§ 46 ff. Hier ging es freilich um eine katholische Universität in öffentlich-rechtlicher Rechtsform.

[58] *Sudre*, Droit européen et international des droits de l'homme, 12. Aufl., Paris 2015, Rn. 541.

[59] Einen Überblick geben *Prüm/Ergeç*, RDP 2010, 3; *Karran*, Higher Education Policy 20 (2007), 289 (294 ff.); ferner aus älterer Zeit *Groß*, Die Autonomie der Wissenschaft im Rechtsvergleich, Baden-Baden 1992, S. 36 ff.; *Mann*, in: Heselhaus/Nowak (Hrsg.), Handbuch der Europäischen Grundrechte, München u. a. 2006, § 26, Rn. 19 ff.

aa. Die Wissenschaftsfreiheit im deutschen Verfassungsrecht

Im deutschen Recht hat die Wissenschaftsfreiheit eine verhältnismäßig
starke Stellung. Sie ist einerseits durch das Kerngrundrecht des Art. 5
Abs. 3 GG gewährleistet, andererseits finden sich teils gleichlautende, teils
ergänzende Bestimmungen in den Landesverfassungen.[60] Der Gewährleistungsgehalt besteht – in aller Kürze – zunächst in einem Abwehrrecht,
das die Freiheit der Wissenschaftler garantiert, ungehindert von unmittelbaren wie mittelbaren staatlichen Einflussnahmen ihr wissenschaftliches Erkenntnisinteresse zu verfolgen.[61] Die inhaltliche Staatsferne des
Wissenschaftsbetriebs ist ein wesentliches Anliegen dieses Grundrechts.[62]
Auch die Hochschulen selbst sind grundrechtsberechtigt.[63] Darüber hinaus gewährt Art. 5 Abs. 3 GG nach der Rechtsprechung Teilhaberechte
in Bezug auf die zur Verfügung gestellte staatliche Finanzierung, ohne
indes originäre Leistungsrechte begründen zu können.[64] Eine besonders
ausdifferenzierte Rechtsprechung des Bundesverfassungsgerichts existiert
mit Blick auf die objektive Funktion der Wissenschaftsfreiheit:[65] So hat
der Gesetzgeber wissenschaftsadäquate strukturelle Rahmenbedingungen für die Ausübung der grundrechtlichen Freiheit zu schaffen, wobei
die grundrechtlichen Vorgaben bis tief hinein in die einfachgesetzlichen
Ausgestaltungen des Hochschulrechts wirken.[66] Diese objektive Garantie
wird in manchen Landesverfassungen durch ein Recht der Hochschulen
auf Selbstverwaltung ergänzt, das freilich einer näheren Ausgestaltung

---

[60] S. beispielsweise Art. 108 BV, Art. 5 NV, Art. 21 VvB. Überblick bei *von Coelln*, in:
Friauf/Höfling (Hrsg.), Berliner Kommentar zum GG, Loseblatt, Berlin (49. EL 2016),
C Art. 5 (3. Teil), Rn. 15.

[61] BVerfGE 15, 256 (263 f.); 35, 79 (112); 90, 1 (11 ff.); 111, 333 (353 f.); *Löwer*, in:
Merten/Papier (Hrsg.), HbGR IV, Heidelberg 2011, § 99, Rn. 17, 24 ff.; *von Coelln*, in:
Friauf/Höfling (Hrsg.), Berliner Kommentar zum GG, Loseblatt, Berlin (49. EL 2016),
C Art. 5 (3. Teil), Rn. 49 ff.

[62] Vgl. BVerfGE 35, 79 (112 f.); 90, 1 (11 f.); 111, 333 (353 f.).

[63] BVerfGE 15, 256 (262); 75, 192 (196).

[64] Vgl. BVerfGE 111, 333 (362); *von Coelln*, in: Friauf/Höfling (Hrsg.), Berliner
Kommentar zum GG, Loseblatt, Berlin (49. EL 2016), C Art. 5 (3. Teil), Rn. 57 ff.; *Löwer*,
in: Merten/Papier (Hrsg.), HbGR IV, Heidelberg 2011, § 99, Rn. 41 ff.

[65] Eingehend BVerfGE 35, 79 (112, 123 ff.); 111, 333 (353 f.).

[66] Vgl. zu den Anforderungen an die wissenschaftsadäquate Organisation BVerfGE
35, 79 (116 ff.); 51, 369 (379); 111, 333 (353 ff.); 127, 87 (114 ff.); BVerfG, 24.6.2014, 1 BvR
3217/07, DVBl. 2014, 1127 (1128 f.) m. Anm. *Gärditz* = NdsVBl. 2014, 337 m. Anm. *Per-
nice-Warnke*; ferner *Mager*, in: Isensee/Kirchhof (Hrsg.), HbStR VII, 3. Aufl., Heidelberg 2009, § 166, Rn. 37 ff.; *Gärditz*, Hochschulorganisation und verwaltungsrechtliche
Systembildung, Tübingen 2009, S. 282; *Krausnick*, Staat und Hochschule im Gewährleistungsstaat, Tübingen 2012, S. 418; *Müller-Terpitz*, WissR 44 (2011), 236 (240 ff., 250 ff.);
Löwer, in: Merten/Papier (Hrsg.), HbGR IV, Heidelberg 2011, § 99, Rn. 35 ff.; *Geis*, ebd.,
§ 100, Rn. 8 ff., jeweils m. w. N.

durch Gesetze bedarf.[67] Insgesamt hat sich das Wissenschaftsgrundrecht in Deutschland als wehrfähig erwiesen. Auch wenn es einer Einschränkung durch verfassungsimmanente Schranken zugänglich ist[68] und das Bundesverfassungsgericht mehrfach einer grundrechtsbedingten Versteinerung des einfachen Wissenschaftsrechts eine deutliche Absage erteilt hat,[69] hat es die Gestaltungsspielräume des einfachen Gesetzgebers doch erheblich begrenzt und vorgeprägt.

bb. Verankerung im österreichischen Verfassungsrecht

Ebenfalls verfassungsrechtlich verankert ist die Wissenschaftsfreiheit in Österreich.[70] Sie wird sowohl in der Verfassungsbestimmung des Art. 17 Abs. 1 StGG 1867[71] als auch in der seit 2008 geltenden Bestimmung des Art. 81c B-VG[72] gewährleistet.[73] Das Grundrecht aus Art. 17 StGG, das dogmatisch aus der Meinungsfreiheit abgeleitet wird[74] und sowohl die Freiheit der Forschung als auch der Lehre umfasst,[75] wird auch im

---

[67] S. etwa Art. 5 Abs. 3 NV und dazu NdsStGH, NdsVBl. 2011, 47; *Mühlenmeier,* in: Epping u. a. (Hrsg.), Hannoverscher Kommentar zur Niedersächsischen Verfassung, Baden-Baden 2012, Art. 5, Rn. 35 f.; ebenso Art. 138 Abs. 2 BV. Zu landesverfassungsrechtlichen Selbstverwaltungsgarantien auch *Sieweke,* NWVBl. 2009, 205.

[68] Überblick über Beispiele kollidierender Verfassungswerte im Bereich der Forschungsfreiheit bei *Löwer,* in: Merten/Papier (Hrsg.), HbGR IV, Heidelberg 2011, § 99, Rn. 28 ff.

[69] Vgl. BVerfGE 35, 79 (116 f.); 93, 85 (95); 111, 333 (355 f.); 127, 87 (116); BVerfG, 24.6.2014, 1 BvR 3217/07, DVBl. 2014, 1127 (1128).

[70] Historischer Überblick der Entwicklung bei *Kröll,* in: Merten/Papier (Hrsg.), HbGR VII/1, Heidelberg 2009, § 194, Rn. 1 ff.

[71] Historische Einordnung bei *Wielinger,* EuGRZ 1982, 289 f., der darauf hinweist, dass das Abwehrrecht ehemals weniger gegen den Staat als in erster Linie gegen den Einfluss der Katholischen Kirche gerichtet gewesen war.

[72] Dazu *Berka,* ZÖR 63 (2008), 293. Zu der davor geltenden Verfassungsbestimmung des § 2 Abs. 2 UOG 1993 s. *Mayer,* Das österreichische Bundes-Verfassungsrecht, 4. Aufl., Wien 2007, Art. 17 StGG Anm. I.1.

[73] Hinzu kommt die Gewährleistung über Art. 10 EMRK und nach der jüngsten Rechtsprechung auch über Art. 13 GRCh, die vom VfGH wie Verfassungsnormen direkt ausgelegt und angewandt werden; s. zur GRCh jüngst VfGH, Erk. v. 14.3.2012, VfSlg. 19.632. Angesichts der ausdrücklichen Bestimmungen in Art. 17 StGG sowie Art. 81c B-VG treten sie in ihrer Bedeutung für die Rechtsprechung und Dogmatik indes zurück, zumal Art. 17 StGG keinem Schrankenvorbehalt unterliegt; s. in diesem Sinne auch *Kröll,* in: Merten/Papier (Hrsg.), HbGR VII/1, Heidelberg 2009, § 194, Rn. 20 ff.

[74] VfGH, Erk. v. 14.12.1994, VfSlg. 13.978; Erk. v. 10.6.1996, VfSlg. 14.485; *Mayer,* Das österreichische Bundes-Verfassungsrecht, 4. Aufl., Wien 2007, Art. 17 StGG Anm. I.2.

[75] Vgl. VfGH, Erk. v. 3.10.1956, VfSlg. 3068; *Öhlinger/Eberhard,* Verfassungsrecht, 10. Aufl., Wien 2014, Rn. 923; *Wielinger,* EuGRZ 1982, 289 (292); *Kröll,* in: Merten/Papier (Hrsg.), HbGR VII/1, Heidelberg 2009, § 194, Rn. 3 ff.

österreichischen Recht zum einen als Abwehrrecht der Wissenschaftler[76] gegen staatliche Einflussnahmen verstanden,[77] die etwa negative arbeitsrechtliche Konsequenzen an die Veröffentlichung wissenschaftlicher Erkenntnisse knüpfen.[78] Zum anderen enthält es die rechtliche Pflicht des Staates, wissenschaftsfremde Einflüsse durch Dritte zu unterbinden und eine freie Ausübung des Rechts zu ermöglichen.[79] Dies schließt eine organisationsrechtliche Verpflichtung des Staates zugunsten der Universitäten ein,[80] deren Autonomie und Freiheit von staatlichen Weisungen in Art. 81c B-VG gewährleistet ist und mit Selbstverwaltungsgarantien und Mitwirkungsrechten der qualifizierten Wissenschaftler im Bereich wissenschaftsrelevanter Fragen einhergeht.[81] Eine verfassungsrechtlich dem deutschen Recht vergleichbar prononcierte Stellung der Hochschullehrer ist in der österreichischen Rechtsprechung aber nicht anerkannt.[82] Auch im österreichischen Recht liegt also der Schwerpunkt auf einer staatlichen Gewährleistungspflicht, die sich insbesondere darauf bezieht, möglichst

---

[76] Der personelle Schutzbereich erfasst hierbei jedermann, der Wissenschaft betreibt, nicht lediglich die Hochschullehrer; s. *Öhlinger/Eberhard*, Verfassungsrecht, 10. Aufl., Wien 2014, Rn. 924; *Kröll*, in: Merten/Papier (Hrsg.), HbGR VII/1, Heidelberg 2009, § 194, Rn. 6, jeweils m. w. N. zur Entwicklung der Rechtsprechung des VfGH.

[77] *Öhlinger/Eberhard*, Verfassungsrecht, 10. Aufl., Wien 2014, Rn. 925; *Novak*, WissR 35 (2002), 45 (48); *Berka*, in: FS Pernthaler, Wien u. a. 2005, S. 67 (78).

[78] Vgl. VfGH, Erk. v. 17.6.1959, VfSlg. 3565; Erk. v. 3.10.1977, VfSlg. 8136; s. auch Erk. v. 25.3.1955, VfSlg. 2823; ferner *Wielinger*, EuGRZ 1982, 289 (291). Zum Sonderproblem des Gewissensschutzes bei der Mitwirkung an ethisch umstrittenen Forschungsprojekten *Berka*, in: FS Pernthaler, Wien u. a. 2005, S. 67.

[79] Vgl. Erk. v. 3.10.1977, VfSlg. 8136; *Mayer*, Das österreichische Bundes-Verfassungsrecht, 4. Aufl., Wien 2007, Art. 17 StGG Anm. I.5.; *Walter/Mayer/Kucsko-Stadlmayer*, Grundriss des österreichischen Bundesverfassungsrechts, 10. Aufl., Wien 2007, Rn. 1506 mit zahlr. Nachw. aus der Rechtsprechung des VfGH.

[80] Zur Entwicklung in der Rechtsprechung des VfGH s. *Wielinger*, EuGRZ 1982, 289 (293 f.).

[81] Eingehend *Berka*, ZÖR 63 (2008), 293 (307 ff.). Zur Vorgängernorm, der Verfassungsbestimmung des § 2 Abs. 2 UOG 1993, *Walter/Mayer/Kucsko-Stadlmayer*, Grundriss des österreichischen Bundesverfassungsrechts, 10. Aufl., Wien 2007, Rn. 1508; *Novak*, WissR 35 (2002), 45 (49). Hierin wird eine institutionelle Garantie der Universität erblickt; s. *Mayer*, Das österreichische Bundes-Verfassungsrecht, 4. Aufl., Wien 2007, Art. 17 StGG Anm. I.6. Allerdings ist hierdurch die Einbeziehung universitätsfremder Personen, etwa in Universitätsräten, nicht ausgeschlossen; vielmehr gewährt das Verfassungsrecht dem einfachen Gesetzgeber Gestaltungsspielräume; s. VfGH, Erk. v. 23.1.2004, VfSlg. 17.101; dazu *Rath-Kathrein*, in: FS Pernthaler, Wien u. a. 2005, S. 319 (328 ff.). S. weiters VfGH, Erk. v. 29.11.1995, VfSlg. 14.362 zur Zusammensetzung von Kommissionen; hier spielt das Sachlichkeitsgebot eine wesentliche Rolle.

[82] S. VfGH, Erk. v. 3.10.1977, VfSlg. 8136; dazu krit. *Wielinger*, EuGRZ 1982, 289 (294 f.). Der VfGH legte den Schwerpunkt der Begründung auf die fehlende unmittelbare Drittwirkung, so dass Art. 17 StGG den Hochschullehrern gegenüber den anderen grundrechtsberechtigten Universitätsangehörigen keine vorrangige Stellung einräumen könne.

wissenschaftsadäquate Rahmenbedingungen für Forschung und Lehre zur Verfügung zu stellen,[83] was auch die grundsätzliche Bereitstellung von Ressourcen beinhaltet.[84] Eine Drittwirkung des Grundrechts gegenüber Privaten, die über eine bloß mittelbare Drittwirkung hinausginge, ist in der Dogmatik nicht anerkannt.[85] Wie in Deutschland ist schließlich auch in Österreich die Wissenschaftsfreiheit vorbehaltlos gewährleistet,[86] was freilich gesetzliche, insbesondere organisationsrechtliche Regeln nicht ausschließt,[87] sofern eine angemessene Güterabwägung stattfindet.[88]

b. Frankreich

In Frankreich scheint der Wirkungsgrad der Steuerungskraft der Wissenschaftsfreiheit geringer als in Deutschland;[89] ihre einfachgesetzliche Ausprägung ist erst in jüngerer Zeit ausdrücklich betont worden.[90] Gleichwohl hat sie Verfassungsrang. Spezielle Gewährleistungen zur Wissenschaftsfreiheit finden sich zwar – historisch bedingt – nicht in der mit Verfassungsrang ausgestatteten Erklärung der Menschen- und Bürgerrechte von 1789;

---

[83] So zumindest die heute überwiegende Meinung; s. *Berka*, in: FS Pernthaler, Wien u. a. 2005, S. 67 (77); *Novak*, WissR 35 (2002), 45 (55 f.) m. w. N. Dies gilt auch für die Ausgestaltung der rechtlichen Rahmenbedingungen für private Lehr- und Forschungseinrichtungen, weil eine unmittelbare Drittwirkung des Grundrechts ausscheidet; s. *Berka*, in: FS Adamovich, Wien 2002, S. 45 (52).

[84] Im Detail herrscht hier indes keine Einigkeit; s. *Novak*, WissR 35 (2002), 45 (70 f.). Bezifferbare originäre Leistungsrechte werden sich aus der Norm jedenfalls nur schwer ableiten lassen. S. in diesem Zusammenhang auch VfGH, Erk. v. 23.1.2004, VfSlg. 17.101.

[85] VfGH, Erk. v. 3.10.1977, VfSlg. 8136; *Mayer*, Das österreichische Bundes-Verfassungsrecht, 4. Aufl., Wien 2007, Art. 17 StGG Anm. I.3; *Wielinger*, EuGRZ 1982, 289 (291); *Berka*, in: FS Adamovich, Wien 2002, S. 45 (46).

[86] VfGH, Erk. v. 17.6.1959, VfSlg. 3565; *Wielinger*, EuGRZ 1982, 289 (292).

[87] *Walter/Mayer/Kucsko-Stadlmayer*, Grundriss des österreichischen Bundesverfassungsrechts, 10. Aufl., Wien 2007, Rn. 1507; *Mayer*, Das österreichische Bundes-Verfassungsrecht, 4. Aufl., Wien 2007, Art. 17 StGG Anm. I.4; näher *Kröll*, in: Merten/Papier (Hrsg.), HbGR VII/1, Heidelberg 2009, § 194, Rn. 14 ff. Diese Regelungen sind vor allem im Universitätsgesetz 2002, östBGBl. I Nr. 120/2002, enthalten; dazu die verfassungsgerichtliche Kontrolle in VfGH, Erk. v. 23.1.2004, VfSlg. 17.101. Zur historischen Entwicklung der Hochschulgesetzgebung bis zu den jüngeren Reformen *Novak*, WissR 35 (2002), 45 (48 ff.).

[88] Vgl. allgemein VfGH, Erk. v. 14.12.1994, VfSlg. 13.978; *Öhlinger/Eberhard*, Verfassungsrecht, 10. Aufl., Wien 2014, Rn. 925.

[89] Vgl. etwa *Legrand*, in: Caillosse/Renaudie (dir.), Le Conseil d'État et l'Université, Paris 2015, S. 37 (38); ferner die Grundsatzkritik von *Beaud*, Les libertés universitaires à l'abandon, Paris 2010, passim. Krit. zu den zahlreichen Änderungen in diesem Bereich während der letzten Jahrzehnte auch *Y. Gaudemet*, RDP 2008, 51 (52); ferner *Morange*, RDP 2008, 54 (79).

[90] Vgl. *Morange*, RDP 2008, 54 (77); *Waline*, RDP 2008, 1467; *Kuri/Marguénaud*, Dalloz 2010, 2921.

hier ist in Art. 11 lediglich die allgemeine Gedanken- und Meinungsfreiheit normiert, die anders als im Bereich der EMRK jedoch in Rechtsprechung und Literatur nur mittelbar für die Garantie der Wissenschaftsfreiheit herangezogen wird.[91] Nach einer wegweisenden Entscheidung des Conseil constitutionnel aus dem Jahr 1984 ist die Freiheit der Wissenschaft jedoch als Bestandteil der sog. „principes fondamentaux reconnus par les lois de la République" im Sinne der ebenfalls Verfassungsrang besitzenden Präambel der Verfassung von 1946 anerkannt.[92] Sie beziehen sich vor allem auf die personelle Unabhängigkeit der Professoren und des sonstigen wissenschaftlichen Personals (enseignants-chercheurs).[93]

Trotz dieser verfassungsrechtlichen Verankerung ist die Ausgangsbasis der Wissenschaftsfreiheit in Frankreich dennoch von der deutschen verschieden. Dies beruht auf der historisch unterschiedlichen Entwicklung des Universitätswesens insbesondere seit dem Ende des 19. Jahrhunderts.[94] Zwar wird die akademische Freiheit auch im französischen Recht als Abwehrrecht gegen die inhaltliche staatliche Einflussnahme auf wissenschaftliche Erkenntnisse verstanden. Beispiele sind etwa hoheitliche Sanktionsmaßnahmen für wissenschaftsbezogenes Handeln.[95] Prominent hat sich dies etwa in jüngerer Zeit in der Debatte um die sog. lois mémorielles gezeigt, die konkrete geschichtliche Ereignisse historisch in einer bestimmten Weise einordnen und die öffentliche Ablehnung dieser

---

[91] Vgl. etwa CC, 20.1.1984, Décision 83–165 DC, Loi relative à l'enseignement supérieur, Rec. 30, cons. 8; 28.7.1993, Décision n° 93–322 DC, Loi relative aux établissements publics à caractère scientifique, culturel et professionnel, Rec. 204, cons. 7; *Favoreu/Philip*, Les grandes décisions du Conseil constitutionnel, 14. Aufl., Paris 2007, S. 512 (518); *Favoreu u. a.*, Droit des libertés fondamentales, 6. Aufl., Paris 2012, Rn. 241.

[92] CC, 20.1.1984, Décision 83–165 DC, Loi relative à l'enseignement supérieur, Rec. 30; dazu *Favoreu/Philip*, Les grandes décisions du Conseil constitutionnel, 14. Aufl., Paris 2007, S. 512. S. auch *Y. Gaudemet*, RDP 2008, 680 (683); *Favoreu u. a.*, Droit des libertés fondamentales, 6. Aufl., Paris 2012, Rn. 241. Die Freiheit der Hochschulausbildung, die den republikanischen Grundstein der Wissenschaftsfreiheit legte, geht auf die Loi du 12 juillet 1875 relative à la liberté de l'enseignement supérieur (Loi Laboulaye), die Gründung der Universitäten in einer modernen Form auf die Loi du 10 juillet 1896 relative à la constitution des universités zurück. Näher dazu *Bienvenu*, RDP 2009, 1539 (1540 ff.).

[93] CC, 20.1.1984, Décision 83–165 DC, Loi relative à l'enseignement supérieur, Rec. 30, cons. 11; 28.7.1993, Décision n° 93–322 DC, Loi relative aux établissements publics à caractère scientifique, culturel et professionnel, Rec. 204, cons. 7; *Y. Gaudemet*, RDP 2008, 680 (683 ff.); *Rouyère/Sudre*, JCP [G] 2008 I 153 (S. 13 f.), jeweils m. w. N.

[94] Vgl. dazu ausführlich *Bienvenu*, RDP 2009, 1539 ff.; *Y. Gaudemet*, RDP 2009, 992 (993 ff.). Zu früheren Epochen (Ancien Régime, Revolution, Erstes Kaiserreich) auch *P.-M. Gaudemet*, RDP 1961, 21 (22 ff.). Eine besondere Rolle nahmen traditionell eher die Fakultäten als die Gesamtuniversität ein; dies wurde erst in den Reformen der zweiten Hälfte des 20. Jh. geändert.

[95] S. dazu etwa krit. aus jüngerer Zeit *Kuri/Marguénaud*, Dalloz 2010, 2921 (2922). Hierunter können auch Sanktionen der hochschulinternen Aufsichtsgremien fallen.

Einordnung rechtlich sanktionieren.[96] Das zentrale verfassungsrechtliche Augenmerk richtet sich im französischen Recht aber traditionell vornehmlich auf die rechtliche Stellung der Professoren[97] sowie des übrigen wissenschaftlichen Personals und ihre Unabhängigkeit von staatlicher Einflussnahme.[98] Dieses Verbot der Einflussnahme ist in der Rechtsprechung in unterschiedlicher Weise ausdifferenziert worden.[99]

Die Unabhängigkeit der Professoren wird dabei klassischerweise von der Unabhängigkeit des übrigen wissenschaftlichen Personals (enseignants-chercheurs) abgegrenzt[100] und verlangt nach der Rechtsprechung

---

[96] Im konkreten Fall geht es vornehmlich um die Bewertung der Verbrechen des osmanischen Reichs gegen die Armenier als Völkermord. Sehr krit. gegen die Technik der gesetzlich vorgegebenen historischen Deutung vor dem Hintergrund der Wissenschaftsfreiheit etwa *Mathieu*, Dalloz 2006, 3001; *ders.*, Dalloz 2008, 3064; *Kuri/Marguénaud*, Dalloz 2010, 2921 (2925 f.) m. w. N.

[97] S. bereits *P.-M. Gaudemet*, RDP 1961, 21 (33 f.).

[98] Dazu *Melleray*, RDP 2008, 701 (702 ff.); *Y. Gaudemet*, RDP 2008, 680 (683 ff.); mit dem Schwerpunkt auf den Professoren der Rechtswissenschaft *Morange*, RDP 2008, 54 (59 ff.); zur Stellung der Professoren innerhalb der Beamtenschaft *Y. Gaudemet*, RDP 2009, 295 (298 f.). Diese ist heute in Art. L. 952-2 Code de l'éducation einfachgesetzlich ausdrücklich nachgezeichnet. Dazu etwa *Y. Gaudemet*, RDP 2009, 295 (296 ff.).

[99] Vgl. etwa CE, 20.3.2000, req. n° 202295, Mayer et Richer, AJDA 2000, 756 mit der Grundsatztendenz, dass nicht jede Anreizsteuerung verboten ist; für Prämienregelungen CE, 25.5.2007, req. n° 296014, Guy A.; krit. dazu *Y. Gaudemet*, RDP 2008, 680 (693). Zur Rekrutierung der Hochschullehrer CE, 12.12.1994, req. n° 135460 u. a., Cottereau u. a., Rec. Lebon tables 968; 22.6.2009, req. n° 328756, Université de Picardie Jules Verne. Ein weiterer wesentlicher Aspekt in der Rechtsprechung sind die Auswirkungen studentischer Evaluationen auf Stellung und Karriere der Hochschullehrer; s. hierzu etwa mit dem grundsätzlichen Tenor, dass mit jenen keine direkten Konsequenzen verknüpft sein dürfen, CE, 5.4.1974, req. n° 88572, Leroy, Rec. Lebon 214; 13.3.1996, req. n° 138749, Gohin, Rec. Lebon 73; 29.12.1997, req. n° 188347 u. a., Tranquard u. a., Rec. Lebon 497. Weitere Beispiele aus der Rechtsprechung bei *Legrand*, in: Caillosse/Renaudie (dir.), Le Conseil d'État et l'Université, Paris 2015, S. 37 (43 ff.).

[100] Vgl. etwa CC, 20.1.1984, Décision 83–165 DC, Loi relative à l'enseignement supérieur, Rec. 30, cons. 27; 28.7.1993, Décision n° 93–322 DC, Loi relative aux établissements publics à caractère scientifique, culturel et professionnel, Rec. 204, cons. 7; 26.1.1995, Décision n° 94–358 DC, Loi d'orientation pour l'aménagement et le développement du territoire, cons. 14; CE, 29.5.1992, req. n° 67622, Association amicale des professeurs titulaires du muséum national d'histoire naturelle, Rec. Lebon 217; 29.7.1994, req. n° 66966, Le Calvez, Rec. Lebon tables 977; 9.7.1997, req. n° 161929, Picard, Rec. Lebon 294; *Favoreu u. a.*, Droit des libertés fondamentales, 6. Aufl., Paris 2012, Rn. 241. In jüngerer Zeit scheint der Conseil constitutionnel indes die Besonderheiten der Unabhängigkeit der Professoren gegenüber derjenigen der sonstigen Wissenschaftler weniger prononciert zu vertreten; s. CC, 6.8.2010, Décision n° 2010–20/21 QPC, M. Jean C. et autres (Loi Université), cons. 6, 14; dazu krit. *Mathieu*, JCP [G] 2010, 862 (S. 1602). Der Fall betraf die Frage, ob einem Gremium, das über die Vergabe einer Professur entscheidet, außer Professoren auch weitere wissenschaftliche Bedienstete angehören dürfen. S. dazu auch CE, 15.12.2010, req. n° 316927, Syndicat national de l'enseignement supérieur-FSU, Rec. Lebon 494.

u. a. auch eine angemessene Repräsentation in den universitären Gremien,[101] wenngleich präzise Gewichtungsvorgaben anders als im deutschen Recht unterbleiben.[102] Als problematisch werden dabei nicht selten Vertretungsregelungen empfunden, die in den Gremien zwar der Hochschullehrergruppe, nicht aber jeder Disziplin oder Fakultät eine hinreichende Repräsentation einräumen.[103]

Für die Freiheit der Lehre (liberté d'enseignement) bestehen keine ausdrücklichen grundrechtlichen Bestimmungen; auch sie ist jedoch jedenfalls ein verfassungsrechtlich garantiertes „principe fondamental reconnu par les lois de la République", wenngleich sie durch die Einbettung in das staatliche Bildungssystem, das als öffentliche Daseinsvorsorge einen service public darstellt,[104] inhaltlich geprägt und begrenzt wird.[105] Verfassungsrechtlich als eigenständiges principe fondamental garantiert ist auch die Freiheit der Gründung privater Bildungseinrichtungen.[106] Dies gilt wegen der Einbettung der Hochschulen in das öffentliche Bildungswesen allerdings auch für das grundsätzliche Monopol der staatlichen Bildungseinrichtungen, allen voran den Universitäten, die staatlich vorgesehenen akademischen Grade und Diplome zu verleihen.[107] Weniger im Zentrum

---

[101] S. insbesondere für Rekrutierungsgremien CE, 12.12.1994, req. n° 135460 u. a., Cottereau u. a., Rec. Lebon tables 968; 22.6.2009, req. n° 328756, Université de Picardie Jules Verne; näher *Rouyère/Sudre*, JCP [G] 2008 I 153 (S. 13, 15 f.); allgemein *Favoreu u. a.*, Droit des libertés fondamentales, 6. Aufl., Paris 2012, Rn. 241. Zur einfachgesetzlichen Ausgestaltung s. die Regelungen der Art. L. 712-3 ff. Code de l'éducation. Ausführlich zur Rechtsprechung *Fortier*, in: Caillosse/Renaudie (dir.), Le Conseil d'État et l'Université, Paris 2015, S. 47 ff.

[102] Vgl. etwa CC, 6.8.2010, Décision n° 2010–20/21 QPC, M. Jean C. et autres (Loi Université), cons. 5 ff.; krit. *Favoreu/Philip*, Les grandes décisions du Conseil constitutionnel, 16. Aufl., Paris 2011, S. 542; *Morange*, RDP 2008, 54 (57 f.).

[103] In diesem Sinne *Morange*, RDP 2008, 54 (78); *Waline*, RDP 2008, 1467 (1472).

[104] Art. L. 111-1, L. 123-1 Code de l'éducation.

[105] CC, 20.1.1984, Décision 83–165 DC, Loi relative à l'enseignement supérieur, Rec. 8; dazu *Favoreu/Philip*, Les grandes décisions du Conseil constitutionnel, 14. Aufl., Paris 2007, S. 512 (518).

[106] CC, 23.11.1977, Décision n° 77–87 DC, Loi complémentaire à la loi n° 59–1557 du 31 décembre 1959 modifiée par la loi n° 71–400 du 1er juin 1971 et relative à la liberté de l'enseignement; 8.7.1999, Décision n° 99–414 DC, Loi d'orientation agricole; dazu *Favoreu u. a.*, Droit des libertés fondamentales, 6. Aufl., Paris 2012, Rn. 237 ff. Die Entscheidung, die sich auf die höhere Bildung insgesamt bezog, kann auf Universitäten übertragen werden.

[107] Vgl. *Y. Gaudemet*, RDP 2008, 680 (683, 696 ff.); *ders.*, RDP 2009, 992 (997). Zum Vorrecht der Hochschulen, akademische Grade zu verleihen, auch *Prélot*, RDP 2008, 1264. Die verfassungsrechtliche Einordnung geht im Wesentlichen auf ein Gutachten des Conseil d'État (Section de l'Intérieur) zurück, s. den Bericht über das Gutachten in EDCE 1987, 135 (138). Die einfachgesetzliche Ausgestaltung in Art. L. 613-1 Code de l'éducation sieht hier heute ein staatliches Akkreditierungssystem vor.

stehen daher angesichts der nach wie vor prägenden Grundentscheidung für eine Einheit des nationalen Bildungssystems[108] die Aspekte der Unabhängigkeit der Hochschulen[109] und ihrer organisationsrechtlichen Ausgestaltung, auch wenn in jüngerer Zeit gerade in diesem Bereich Reformen unternommen worden sind.[110] Sie sind in ihren Zielsetzungen in manchen Punkten den deutschen Hochschulreformen nicht unähnlich.[111]

c. England

Im englischen Recht haben die Wissenschaftsfreiheit sowie die Unabhängigkeit der Universitäten und ihr Selbstverwaltungscharakter aufgrund der historischen Entwicklung als ursprünglich gerade staatsferne Institutionen einen traditionell hohen Wert.[112] Gleichwohl sind das Recht, akademische Grade zu verleihen, die Jurisdiktionsgewalt[113] sowie die diversen Rechte und Privilegien bestimmter traditioneller Universitäten[114] nie unter den besonderen Schutz einer übergeordneten Wissenschaftsfreiheit gestellt worden; auch in der rechtlichen Praxis spielen sie keine wesentliche Rolle.

---

[108] Vgl. Art. L. 111-1, L. 123-1 Code de l'éducation.

[109] Vgl. eingehend *Waline*, RDP 2008, 1467 ff.; ferner *Legrand*, in: Caillosse/Renaudie (dir.), Le Conseil d'État et l'Université, Paris 2015, S. 37 (39 ff.); für ein institutionelles Verständnis der Unabhängigkeit und der Lehrfreiheit auch *Favoreu/Philip*, Les grandes décisions du Conseil constitutionnel, 14. Aufl., Paris 2007, S. 512 (519 f.). Eine einfachgesetzliche Ausgestaltung der institutionellen Autonomie ist in Art. L. 711-1 Code de l'éducation enthalten.

[110] S. dazu etwa *Legrand*, AJDA 2007, 2135 (2136 ff.); *Rouyère/Sudre*, JCP [G] 2008 I 153 (S. 13). Hier gesteht das Verfassungsrecht dem Gesetzgeber durchaus Entscheidungsspielräume zu; s. etwa CC, 28.7.1993, Décision n° 93–322 DC, Loi relative aux établissements publics à caractère scientifique, culturel et professionnel, Rec. 204, cons. 8 ff.

[111] Vgl. insb. die Art. L. 712-1 f., L. 712-8 ff. Code de l'éducation. Zur gestärkten Stellung des Präsidenten sowie zu den auf mehrere Jahre angelegten vertraglichen Vereinbarungen zwischen Staat und Universitäten (contrats pluriannuels d'établissement) *Waline*, RDP 2008, 1467 (1470 ff.). Zur Finanzierung *Dupont-Marillia*, AJDA 2008, 2003. Die Neuerungen, die das Gesetz vom 10.8.2007 (Loi n° 2007–1199 relative aux libertés et responsabilités des universités, JORF 11.08.2007, S. 13468) brachte, sind durch den Conseil constitutionnel, 6.8.2010, Décision n° 2010–20/21 QPC, M. Jean C. et autres (Loi Université) für verfassungskonform erklärt worden. Zu Relativierungen der Regelungen durch die Loi n° 2013–660 relative à l'enseignement et à la recherche vom 22.7.2013 (JORF 23.7.2013, S. 12235) s. *Legrand*, AJDA 2015, 9.

[112] *Lord Chorley*, Law and Contemporary Problems 28 (1963), 647 (650 ff.), der dies sogar als „convention of the British constitution" (S. 653) bezeichnet. Ferner auch *Barendt*, Academic Freedom and the Law, Oxford u. a. 2010, S. 73, 76 ff. mit historischem Abriss.

[113] Dazu *Page v Hull University Visitor*, [1993] 1 All E. R. 97 (HL).

[114] Näher hierzu *Halsbury's Laws of England*, Vol. 35, 5. Aufl., London 2015, Rn. 621 ff.; zum Begriff der Universität *St David's College, Lampeter v Ministry of Education*, [1951] 1 All E. R. 559 (ChD).

Die Wissenschaftsfreiheit als solche ist rechtlich nur schwach normiert.[115] Im common law spielt sie keine wesentliche Rolle; sie ist als umfassendes Recht dort nicht verankert. Auch ist die Rechtsprechung in diesem Bereich – anders als im Recht der Vereinigten Staaten[116] – sehr spärlich.[117] Auf grundrechtlicher Ebene gilt für das englische Recht der Maßstab der EMRK, die durch den Human Rights Act 1998 in englisches Recht überführt worden ist.[118]

Die rechtliche Verankerung der Wissenschaftsfreiheit beruht im Wesentlichen auf zwei jüngeren Parlamentsgesetzen, nämlich dem Education Reform Act 1988 sowie dem Higher Education Act 2004.[119] Die Regeln sind allerdings inhaltlich eher reduziert und von eingeschränktem Anwendungsbereich; sie enthalten kein umfassendes Grundrecht wie in anderen Rechtsordnungen,[120] sondern begrenzen eher Handlungsspielräume staatlicher Organe im Interesse der freien Wissenschaftsausübung. Überdies

---

[115] Vgl. die Einschätzung von *Birtwistle*, Education and the Law 16 (2004), 203. So deutlich bereits auch *Lord Chorley*, Law and Contemporary Problems 28 (1963), 647 (662). Insbesondere ist sie nicht verfassungsrechtlich verankert; s. *Barendt*, Academic Freedom and the Law, Oxford u. a. 2010, S. 75.

[116] Zum grundlegenden Unterschied hier bereits *Lord Chorley*, Law and Contemporary Problems 28 (1963), 647 ff.; *Barendt*, Academic Freedom and the Law, Oxford u. a. 2010, S. 75.

[117] *Barendt*, Academic Freedom and the Law, Oxford u. a. 2010, S. 74 mit einem anschaulichen Beispielsfall (S. 297 ff.), der im Vergleichswege beigelegt wurde. In einer arbeitsrechtlichen Streitigkeit um die eigenmächtige Anpassung von Noten eines Prüfers durch die Universitätsleitung wurde die akademische Freiheit ebenfalls nicht ausdrücklich herangezogen; s. *Bournemouth University Corpn. v Buckland*, [2011] QB 323 (CA). Für einen Streit um die Entscheidung eines Auswahlkomitees für akademisches Personal, der sich vornehmlich auf allgemeine Fragen eines ordnungsgemäßen Verfahrens bezog, s. *R. v University of Cambridge, ex p. Evans (No. 1)*, [1998] E. L. R. 515 (QBD); *R. v University of Cambridge, ex p. Evans (No. 2)*, [1999] Ed. C. R. 556. (QBD). Zur Reichweite der gerichtlichen Zuständigkeit, Entscheidungen der Universitäten zu überprüfen, die sich auf ausbildungsrelevante Sachverhalte beziehen, s. *Clark v University of Lincolnshire and Humberside*, [2000] 1 W. L. R. 1988 (CA); ferner *R. v Higher Education Funding Council, ex p. Institute of Dental Surgery*, [1994] 1 W. L. R. 242 (QBD); zur Überprüfung von Disziplinarmaßnahmen gegen Studenten *Glynn v Keele University*, [1971] 1 W. L. R. 487 (ChD).

[118] Denn eine unmittelbare Wirkung völkerrechtlicher Verträge ist im englischen Rechte wegen seiner stark dualistisch geprägten Tradition nicht vorgesehen; s. dazu *Craig/de Búrca*, EU Law, 6. Aufl., Oxford 2015, S. 296 f. Diese Rechtsposition spielt indes ebenfalls keine praktisch bedeutsame Rolle; s. *Barendt*, Academic Freedom and the Law, Oxford u. a. 2010, S. 75.

[119] Zu weiteren rechtlichen Regelungen, die die Wissenschaftsfreiheit allerdings eher am Rande berühren, s. *Birtwistle*, Education and the Law 16 (2004), 203 (206 ff.).

[120] Insbesondere sind Leistungs- und Teilhabeaspekte ausgeschlossen; s. *Barendt*, Academic Freedom and the Law, Oxford u. a. 2010, S. 94 f., der gleichzeitig jedoch eine mögliche Wertentscheidungsfunktion bei der Auslegung anderer Rechtsvorschriften erwägt.

berechtigten sie lediglich das wissenschaftliche Personal an Hochschulen, sind also kein Jedermannsrecht.[121] Zuvor war dies oftmals lediglich rudimentär in den Grundordnungen der Universitäten selbst verankert;[122] zudem existieren Vereinbarungen zwischen den Universitäten und der Gewerkschaft der Universitätsbeschäftigten, der University and College Union (UCU), über die Gewährleistung der akademischen Freiheit.[123] Gesetzlich ordnet s. 202 (2a) Education Reform Act 1988 an,[124] dass das wissenschaftliche Personal im Rahmen der Gesetze von seiner Freiheit Gebrauch machen kann, Erkenntnisse zu prüfen und in Frage zu stellen sowie neue Ideen und kontroverse, unpopuläre Meinungen zu vertreten, ohne Gefahr zu laufen, Beschäftigung und Privilegien zu verlieren.[125] In Bezug auf die Universität selbst ist nach s. 202 (2b) lediglich ihre Aufgabenerfüllung sicherzustellen, ohne dass hiermit weitergehende Freiheiten verknüpft werden. Die Freiheit der wissenschaftlichen Institutionen wird in s. 32 (2) Higher Education Act 2004 lediglich erwähnt; hiernach hat der Director of Fair Access to Higher Education sicherzustellen, dass die akademische Freiheit der wissenschaftlichen Institutionen gewahrt bleibt, die Lehrinhalte und -methoden sowie die Zulassungskriterien selbständig festzulegen.[126]

Im Übrigen wird ähnlich wie im Bereich der EMRK in erster Linie auf die Meinungsfreiheit abgestellt, die den Universitätsangehörigen wie allen anderen Bürgern zusteht.[127] Ihr wird innerhalb der Universität auch ohne einen direkten Bezug durch die gesetzlichen Regelungen ein wesentliches

---

[121] Hierauf weist *Barendt*, Academic Freedom and the Law, Oxford u. a. 2010, S. 94 hin.

[122] S. dazu *Birtwistle*, Education and the Law 16 (2004), 203 (204), ferner auch noch *Lord Chorley*, Law and Contemporary Problems 28 (1963), 647 (662 ff.).

[123] S. beispielhaft das Agreement on academic freedom der University of Exeter vom 31.7.2009, in dem Rechte und Pflichten des akademischen Personals aufgeführt werden (abrufbar unter www.exeter.ac.uk).

[124] Die Gewährleistung ist nach dem Gesetzeswortlaut durch die zuständigen University Commissioners sicherzustellen. Diese institutionelle Einrichtung ist indes bereits seit längerem überholt; s. *Birtwistle*, Education and the Law 16 (2004), 203 (206); näher auch *Halsbury's Laws of England*, Vol. 35, 5. Aufl., London 2015, Rn. 631. Die inhaltliche Aussage bleibt aber dennoch für Wertungen relevant.

[125] Diese Regelung war durch Änderungen im Arbeits- bzw. Dienstrecht des wissenschaftlichen Universitätspersonals nötig geworden, die erleichterte Entlassungsmöglichkeiten boten; s. dazu *Barendt*, Academic Freedom and the Law, Oxford u. a. 2010, S. 80 f., 92 ff.; *Karran*, Higher Education Policy 20 (2007), 289 (297).

[126] Zu dieser Vorschrift *Birtwistle*, Education and the Law 16 (2004), 203 (206 f.); *Halsbury's Laws of England*, Vol. 35, 5. Aufl., London 2015, Rn. 714. Krit. zu ihrer Wirksamkeit *Barendt*, Academic Freedom and the Law, Oxford u. a. 2010, S. 108 f. (S. 109: „But it is better perhaps to pay lip-service to academic freedom than to ignore it altogether.").

[127] Vgl. *Lord Chorley*, Law and Contemporary Problems 28 (1963), 647 (649); ausführlich mit Fallbeispielen *Barendt*, Academic Freedom and the Law, Oxford u. a. 2010,

Gewicht beigemessen.[128] Freilich erschöpft sich der Gewährleistungsgehalt der Wissenschaftsfreiheit in ihr auch aus Sicht des englischen Rechts nicht, da sie eher die externen Äußerungen von Wissenschaftlern als deren interne Beiträge zur Forschung erfasst.[129] Gerade die jüngeren Entwicklungen haben die Abhängigkeiten in Bezug auf die Finanzierung wieder deutlich werden lassen.[130] Selbstverwaltungsgarantien gibt es – abgesehen von traditionellen Regelungen für die Universitäten in Oxford und Cambridge – im englischen Recht nicht.[131]

III. Schlussfolgerungen für die Gewährleistungsgehalte der Wissenschaftsfreiheit nach Art. 13 GRCh

Vor dem Hintergrund der Garantien der EMRK und der nationalen Rechtsordnungen lassen sich die Gewährleistungsgehalte sowie die Grenzen der Wissenschaftsfreiheit nach Art. 13 GRCh skizzieren. Anders als in den Fällen des nationalen Rechts steht nach der Verankerung in der Grundrechtecharta ihr Rang im EU-Recht nicht in Frage. Auch die

---

S. 82 ff. Weniger Bedeutung besitzt auch im englischen Recht das Recht auf Bildung nach Art. 2 des 1. ZP zur EMRK; s. dazu *Wadham u. a.*, Blackstone's Guide to the HRA 1998, 6. Aufl., Oxford 2011, Rn. 8.68 ff.; *Clayton/Tomlinson*, The Law of Human Rights, Vol. I, 2. Aufl., Oxford 2009, Rn. 19.15.

[128] Vgl. *R. v University of Liverpool, ex p. Caesar-Gordon*, [1990] 3 All E. R. 821 (QBD) at 826 f–j, 827 a–e. Vgl. dazu auch *Feldman (ed.)*, English Public Law, Oxford 2004, Rn. 9.27 ff.; *ders.*, Civil Liberties and Human Rights in England and Wales, 2. Aufl., Oxford 2002, S. 779 ff.

[129] Zu der allgemeinen Problematik und den Unterschieden deutlich *Barendt*, Academic Freedom and the Law, Oxford u. a. 2010, S. 17 ff. (mit dem Ergebnis S. 21: „It is therefore a professional freedom rather than a set of individual rights.") sowie S. 104 ff. zu dem Verhältnis der akademischen Freiheit zur staatlichen Qualitätskontrolle, die im englischen Recht normativ kaum gelöst ist.

[130] S. zum Problem der staatlichen Finanzierung sowie des Einflusses von Drittmittelgebern *Birtwistle*, Education and the Law 16 (2004), 203 (108); aus älterer Sicht bereits *Lord Chorley*, Law and Contemporary Problems 28 (1963), 647 (655 ff.). Der Einfluss auf die akademische Freiheit wird dementsprechend auch von der University and College Union (UCU) in ihrem UCU statement on academic freedom vom Januar 2009 (abrufbar unter www.ucu.org.uk/3672) betont. Dezidiert rechtliche Hürden werden, abgesehen von der allgemeinen Meinungsfreiheit, indes nicht genannt. Zur historischen Entwicklung, die unabhängige Finanzierungskomitees kannte, s. instruktiv *Barendt*, Academic Freedom and the Law, Oxford u. a. 2010, S. 76 ff. S. ferner auch die Entscheidung *R. v Higher Education Funding Council, ex p. Institute of Dental Surgery*, [1994] 1 W. L. R. 242 (QBD), die die Pflicht, Gründe für Förderungsentscheidungen zu geben, restriktiv handhabt.

[131] *Barendt*, Academic Freedom and the Law, Oxford u. a. 2010, S. 26 f., 32 ff., 110 f. Vgl. insofern etwa die Regelungen im Universities of Oxford and Cambridge Act 1923 mit den teilweise fortgeltenden Bestimmungen des Universities of Oxford and Cambridge Act 1877.

Abgrenzung zum Grundrecht der Meinungsfreiheit ist einfacher als im Bereich der EMRK, da Art. 13 GRCh eine eigenständige Garantie enthält. Auch für sie wird man indes eine systematische und dogmatische Nähe zur Meinungsfreiheit des Art. 11 GRCh annehmen können.[132] Dies legt auch das in Art. 52 Abs. 3 GRCh normierte Kohärenzgebot mit der EMRK nahe. Es spricht in Hinblick auf die Schrankenregelung des Art. 52 Abs. 1 GRCh dabei gleichzeitig für eine Übertragung der engen Schrankenrechtsprechung des EGMR zu Art. 10 Abs. 2 EMRK.[133]

1. Die Abwehrfunktion des Grundrechts

Weitgehend unproblematisch ist die Abwehrfunktion des Grundrechts.[134] Sie ist in allen betrachteten Rechtsordnungen wesentlicher Kern der Grundrechtsgewährleistung.[135] Die Abwehrfunktion richtet sich dabei gegen staatliche Einflussnahmen, die direkt oder indirekt sein können.[136] Die inhaltliche Unabhängigkeit von Forschung und Lehre bedeutet auch für Art. 13 GRCh, dass an ihre Ausübung keine negativen Konsequenzen seitens der hoheitlichen Gewalt geknüpft werden dürfen.

a. Personeller Schutzbereich

Unabhängig von der konkreten Art der Ausgestaltung berechtigt Art. 13 GRCh zum einen natürliche Personen, die Wissenschaft betreiben. Vom

---

[132] So auch *Renucci*, Droit européen des droits de l'homme, Paris 2012, S. 779; *Winkler*, in: Mayer/Stöger (Hrsg.), EUV, AEUV, Loseblatt, Wien 2011, Art. 6 EUV, Rn. 212; *Jarass*, EU-GRCh, 2. Aufl., München 2013, Art. 13, Rn. 1.

[133] In diesem Sinne auch die (aktualisierten) Erläuterungen des Präsidiums des Konvents zur GRCh vom 9.7.2003, CONV 828/03, S. 16; ferner *Jarass*, EU-GRCh, 2. Aufl., München 2013, Art. 13, Rn. 13; *von Coelln*, in: Friauf/Höfling (Hrsg.), Berliner Kommentar zum GG, Loseblatt, Berlin (49. EL 2016), C Art. 5 (3. Teil), Rn. 7. Strenger *Mann*, in: Heselhaus/Nowak (Hrsg.), Handbuch der Europäischen Grundrechte, München u. a. 2006, § 26, Rn. 68 sowie für die Kunstfreiheit *Britz*, EuR 2004, 1 (7), die offenbar auf das (höchste) Schutzniveau der Mitgliedstaaten rekurrieren will, das – wie etwa in Deutschland – keinen ausdrücklichen Schrankenvorbehalt vorsieht. Für die Wissenschaftsfreiheit lässt sich dies angesichts des Art. 52 Abs. 3 GRCh, der Rechtsprechung des EGMR sowie der mitgliedstaatlichen Vorgaben nur schwer annehmen, ohne dass hiermit freilich eine unannehmbare Absenkung des Schutzniveaus verbunden wäre.

[134] Vgl. *Jarass*, EU-GRCh, 2. Aufl., München 2013, Art. 13, Rn. 2; *Lindner*, WissR-Beih. 19 (2009), 87.

[135] So auch *Groß*, Die Autonomie der Wissenschaft im Rechtsvergleich, Baden-Baden 1992, S. 175.

[136] S. etwa *Ruffert*, in: Calliess/ders. (Hrsg.), EUV/AEUV, 4. Aufl., München 2011, Art. 13 GRCh, Rn. 13 mit Kritik an der als Empfehlung der Kommission verabschiedeten „Europäischen Charta für Forscher und Verhaltenskodex für die Einstellung von Forschern" vom 11.3.2005, ABl. 2005 L 75/67.

personellen Schutzbereich sind dabei nicht nur die Wissenschaftler in den
Mitgliedstaaten, insbesondere in den dortigen wissenschaftlichen Einrichtungen,[137] sondern auch wissenschaftlich tätige Bedienstete der Union
erfasst.[138] Hierbei hat der EuGH freilich die besondere Treuepflicht der
Unionsbeamten hervorgehoben und in die Rechtfertigungsabwägung
eingestellt.[139] Zum anderen werden auch Institutionen wie Universitäten und Forschungseinrichtungen vom grundrechtlichen Schutzbereich
erfasst. Dies zeigt sich aus dem Rechtsvergleich: Dass die Hochschulen
Grundrechtsträger sein können, ist in den nationalen Rechtsordnungen
anerkannt;[140] auch die Rechtsprechung des EGMR spricht für diese Sichtweise.[141] Für die Grundrechtecharta muss demzufolge Entsprechendes
auch dann gelten, wenn die Hochschulen öffentlich-rechtlich organisiert

---

[137] Angesichts des offenen Wortlauts der Bestimmung des Art. 13 GRCh ist davon
auszugehen, dass es sich um ein Jedermannsgrundrecht handelt, zumal die Begrenzung
auf Hochschulbedienstete nur in einzelnen mitgliedstaatlichen Rechtsordnungen vorgenommen wird und dort im Regelfall aus der Tatsache folgt, dass die jeweilige verfassungsrechtliche Gewährleistung ungeschrieben und von der Rechtsprechung – wie in
Frankreich die Unabhängigkeit der Professoren – speziell für die besondere Gefähr-
dungssituation der staatlichen Regelung der inneruniversitären Organisation herausgebildet worden ist.
[138] Vgl. etwa für die Veröffentlichung eines Vortrags bzw. eines Buches, die der EuGH
freilich primär der Meinungsfreiheit zuordnete, EuGH, 13.12.2001, Rs. C-340/00 P,
Cwik, Slg. 2001, I-10269, Rn. 18 ff., 28; 6.3.2001, Rs. C-274/99 P, Connolly, Slg. 2001,
I-1611, Rn. 43 ff. Die Ausführungen des Gerichtshofs sind in dieser Frage allerdings spärlich, nachdem er in den Fällen, in denen es um dienstrechtliche Streitigkeiten wissenschaftlich tätiger Gemeinschaftsbediensteter, (anders als im Fall Kley der Generalanwalt)
nicht tragend auf die Forschungsfreiheit, sondern auf das allgemeine Dienstrecht abstellte;
s. EuGH, 27.6.1973, Rs. 35/72, Kley, Slg 1973, 679 mit Schlussanträgen des GA *Trabucchi*
vom 5.4.1973, S. 692; 11.7.1974, Rs. 53/72, Guillot, Slg. 1974, 791 mit Schlussanträgen des
GA *Trabucchi* vom 21.6.1974, S. 807. Nach Lage der Sachverhalte erscheint dies in den
entschiedenen Fällen indes auch nicht sachwidrig. Denkbar ist auch eine Betroffenheit
der Wissenschaftsfreiheit von Unionsbediensteten durch Nebentätigkeitsregelungen.
[139] S. z. B. deutlich EuGH, 6.3.2001, Rs. C-274/99 P, Connolly, Slg. 2001, I-1611,
Rn. 44 ff.; ferner EuGH, 13.12.2001, Rs. C-340/00 P, Cwik, Slg. 2001, I-10269, Rn. 18 ff.
[140] S. oben II.3. Auch in Italien hat die Wissenschaftsfreiheit Verfassungsrang. Sie
ist in zwei Bestimmungen geregelt: Nach Art. 9 Cost. fördert der Staat u. a. die wissenschaftliche und technische Forschung; nach Art. 33 Cost. sind Wissenschaft und Lehre
frei. In der Rechtsprechung der Corte costituzionale spielt die Wissenschaftsfreiheit
seltener eine Rolle. Jedoch hat die Corte costituzionale bereits früh klargestellt, dass sich
auch die Universitäten selbst auf die Gewährleistung des Art. 33 Cost. berufen können.
Ihre Freiheit kann etwa in den Fällen bedroht sein, in denen ihnen staatlicherseits die
Möglichkeit genommen wird, das Hochschulpersonal selbst auszusuchen. Diese Freiheit steht im Spannungsverhältnis zu der persönlichen Freiheit des Hochschullehrers,
der sich ebenfalls auf Art. 33 Cost berufen kann. S. dazu Corte cost., 14.12.1972, n. 195.
[141] S. im Einzelnen oben II.3. sowie EGMR, 20.10.2009, 39128/05, Lombardi Val-
lauri/Italien, § 41; *Laffaille*, AJDA 2010, 215 (218); *Renucci*, Droit européen des droits
de l'homme, Paris 2012, S. 193.

sind.[142] Ein Schutzbedürfnis existiert gegenüber hoheitlichen Einflussnahmen insbesondere bei der Bestellung des Personals.[143] Die Autonomie
der Hochschulen besteht dabei auch im Verhältnis zur EU.[144] Allerdings
wird der Anwendungsbereich wohl schmal bleiben und sich vornehmlich auf mittelbare Einflussnahmen etwa im Bereich der Forschungsförderung beschränken; denn hochschulorganisationsrechtliche Regelungen
sind von der EU-Kompetenz im Kern nicht erfasst.[145] Unzulässig sind bei
Maßnahmen der Forschungsförderung indes primär punktuell steuernde
Einwirkungen, nicht die abstrakte inhaltliche Bestimmung des Rahmens
eines Forschungsförderungsprogramms. So stellt entsprechend der steten
nationalen Praxis allein die staatliche Finanzierung, mit der Schwerpunkt-
setzungen verbunden sein müssen, keine unzulässige Einflussnahme dar.[146]

b. Private als Adressaten des Grundrechts?

Inwieweit die Wissenschaftsfreiheit auch direkte Wirkung gegenüber
Privaten entfaltet, ist in der Rechtsprechung bislang nicht abschließend
geklärt. Entsprechende Tendenzen existieren in der EuGH-Rechtspre-
chung zu den allgemeinen Rechtsgrundsätzen und den Grundfreiheiten
des Binnenmarktes.[147] Ob dies auf die EU-Grundrechte übertragbar ist,
erscheint indes angesichts der Regelung des Art. 51 Abs. 1 GRCh über die

---

[142] So auch *Jarass*, EU-GRCh, 2. Aufl., München 2013, Art. 13, Rn. 10.

[143] Vgl. *Prüm/Ergeç*, RDP 2010, 3 (20). Inhaltliche Einflussnahmen lassen sich nicht
vollständig ausschließen und sind auch nicht unzulässig, wenn der Staat im Rahmen
seines Organisationsermessens etwa eine bestimmte inhaltliche Ausrichtung der Hochschule (Technische Universität u. ä.) vornimmt.

[144] *A. A. Fink*, EuGRZ 2001, 193 (200), der – nach dem damaligen Stand des Gemeinschaftsrechts – keine grundrechtlich gesicherte Autonomie der Hochschulen annahm.

[145] Denkbar sind hier allenfalls punktuelle und mittelbare Berührungen durch das
Unionsrecht wie durch grundfreiheitlich oder durch das allgemeine Diskriminierungsverbot motivierte Vorgaben in materieller Hinsicht; s. o. I. bei Fn. 8 ff.

[146] Zur Leistungsfunktion s. noch unten 4. Anders *Dörr/Schiedermair*, Die zukünf-
tige Finanzierung der deutschen Universitäten, Bonn 2004, S. 66 ff., die für eine Übernahme der für die Rundfunkfinanzierung geltenden Grundsätze plädieren, was sich
freilich nicht durchsetzen konnte.

[147] Zu den allgemeinen Rechtsgrundsätzen EuGH, 22.11.2005, Rs. C-144/04, Man-
gold, Slg. 2005, I-9981, Rn. 74 ff.; 19.1.2010, Rs. C-555/07, Kücükdeveci, Slg. 2010, I-365
Rn. 20 ff. Zu den Grundfreiheiten EuGH, 12.12.1974, Rs. 36/74, Walrave und Koch,
Slg. 1974, 1405, Rn. 16 ff.; 15.12.1995, Rs. C-415/93, Bosman, Slg. 1995, I-5040, Rn. 84;
6.6.2000, Rs. C-281/98, Angonese, Slg. 2000, I-4161, Rn. 33; 11.12.2007, Rs. C-438/05,
Viking, Slg. 2007, I-10806, Rn. 33; 18.12.2007, Rs. C-341/05, Laval, Slg. 2007, I-11845,
Rn. 98; 17.7.2008, Rs. C-94/07, Raccanelli, Slg. 2008, I-5939; 12.7.2012, Rs. C 171/11,
Fra.bo. Ausführliche weitere Nachw. aus der Rechtsprechung in den Schlussanträgen
der Generalanwälte *Poiares Maduro* vom 23.5.2007, Rs. C-438/05, Viking, Slg. 2007,
I-10784, Rn. 44 ff., und *Trstenjak* vom 28.3.2012, Rs. C-171/11, Fra.bo, Rn. 29 ff., 45 ff.

Adressaten der Charta zweifelhaft. In jedem Falle haben die EU-Organe wie auch die Mitgliedstaaten im Anwendungsbereich des Art. 13 GRCh entsprechende Schutzvorkehrungen in der Ausgestaltung privater Wissenschaftseinrichtungen zu schaffen.

2. Schutzpflichten

Aus der Wissenschaftsfreiheit des Art. 13 GRCh lassen sich auch darüber hinaus staatliche Schutzpflichten ableiten. Der Rechtsvergleich zeigt, dass in den Rechtsordnungen regelmäßig dem Staat die Verantwortung zugewiesen ist, die notwendigen Maßnahmen zu treffen, damit die Wissenschaftsfreiheit ungehindert ausgeübt werden kann. Auch in der Rechtsprechung des EGMR zu Art. 10 EMRK finden sich entsprechende Anforderungen.[148] Aus diesen Schutzpflichten können sich staatliche Handlungspflichten ergeben, die in der letzten Konsequenz auch Organisationsvorgaben für wissenschaftliche Forschungseinrichtungen und -programme beinhalten können. Freilich kann die Schutzpflicht stets nur innerhalb des Anwendungsbereichs der grundrechtlichen Gewährleistung gelten, was bedeutet, dass sie nur innerhalb der EU-Kompetenzen Wirkung entfalten kann. Für die EU-Organe wirkt sie daher nur in deren Kompetenzbereich, für die Mitgliedstaaten nur nach Maßgabe des Art. 51 Abs. 1 GRCh.[149] Dies bedeutet einen nur begrenzten Anwendungsbereich, der demjenigen der nationalen Gewährleistungen sowie des Art. 10 EMRK nicht gleichkommt.

3. Grundsatzcharakter der Wissenschaftsfreiheit

Da die Wissenschaftsfreiheit nach Art. 13 GRCh ein echtes Grundrecht ist, das subjektiv-rechtlich wirkt, ist sie kein bloß objektiv geltender Grundsatz i. S. d. Art. 52 Abs. 5 der Charta.[150] Obgleich Grundrechte und Grundsätze dogmatisch voneinander abgrenzbar sind, stellt sich die Frage nach einem objektiven Gehalt der grundrechtlichen Gewährleistung.

In der Rechtsprechung des EuGH wie auch in der rechtsvergleichenden Betrachtung sind objektive Grundrechtsfunktionen abseits der Charta-Grundsätze schwer feststellbar; freilich findet eine dogmatische Differenzierung, wie sie dem deutschen Recht eigen ist, dort generell weniger statt.

---

[148] Vgl. EGMR, 20.10.2009, 39128/05, Lombardi Vallauri/Italien sowie die Nachweise zu Art. 10 EMRK bei *Sudre*, Droit européen et international des droits de l'homme, 12. Aufl., Paris 2015, Rn. 541.

[149] S. die Nachw. oben Fn. 18.

[150] *Jarass*, EU-GRCh, 2. Aufl., München 2013, Art. 13, Rn. 2.

Dennoch entspricht es der Systematik des Art. 51 GRCh, dass jedenfalls die Kompetenzen der Union nach Maßgabe der Vorgaben der Grundrechte und damit auch der EU-Wissenschaftsfreiheit ausgeübt werden müssen.[151] Wenngleich es in den nationalen Rechtsordnungen Anhaltspunkte dafür gibt, dass bei der Ausgestaltung wissenschaftlicher Einrichtungen der Stellung der dort hauptamtlich beschäftigten Wissenschaftler bestimmte organisationsrechtliche Sicherungen beigegeben werden müssen,[152] lassen sich hieraus keine detaillierten organisatorischen Vorgaben wie im deutschen Recht ableiten. Dies bedeutet insbesondere, dass EU-Einrichtungen nicht kraft der Charta ein Selbstverwaltungsrecht hätten;[153] den Wissenschaftlern bliebe indes ihr Abwehrrecht, das sich auch gegen strukturelle Eingriffe in die Wissenschaftsfreiheit richten kann. Das kann organisatorische Gestaltungen, die eine Beteiligung der Hochschulangehörigen an der Selbstverwaltung vorsehen, nahelegen.[154]

---

[151] Freilich gebieten sie es nicht in jedem Falle, der Wissenschaftsfreiheit den Vorrang vor anderen Rechtspositionen einzuräumen; s. etwa für die Umsatzbesteuerung der Forschungstätigkeit staatlicher Hochschulen EuGH, 20.6.2002, Rs. C-287/00, Kommission/ Deutschland, Slg. 2002, I-5811; für die vergaberechtliche Behandlung als „In-House-Vergabe" eines Auftrags einer staatlichen Universität an ein privatrechtliches Unternehmen des Bundes und der Länder s. EuGH, 8.5.2014, Rs. C-15/13, TU Hamburg-Harburg. Der EuGH vollzog hier die Abwägung mit dem Wissenschaftsgrundrecht nicht nach, sondern blieb argumentativ innerhalb des sekundärrechtlichen Systems, während GA *Mengozzi* im letzteren Fall in seinen Schlussanträgen vom 23.1.2014, Rn. 73 für die Frage der Kontrolle die Unabhängigkeit wissenschaftlicher Einrichtungen nach Art. 13 GRCh betonte.

[152] S. zur Stellung der Hochschullehrer insbesondere in Deutschland und Frankreich oben 3.a., b.

[153] Zu Recht skeptisch auch *Gärditz*, Hochschulorganisation und verwaltungsrechtliche Systembildung, Tübingen 2009, S. 435 f. Zur Organisation von Wissenschaftseinrichtungen der Union s. im Überblick *Ruffert*, in: Calliess/ders. (Hrsg.), EUV/AEUV, 4. Aufl., München 2011, Art. 187 AEUV, Rn. 8 ff.; ferner beispielsweise für die Fördereinrichtung Europäischer Forschungsrat (European Research Council – ERC) mit seinen Organen Wissenschaftlicher Rat und Exekutivagentur *Groß*, EuR 2010, 299 (301 ff.); *Lorz/Payandeh*, WissR-Beih. 22 (2012), 4 ff.; *von Bogdandy/Westphal*, ELRev. 29 (2004), 788. Freilich handelt es sich hierbei primär um Forschungsfördereinrichtungen, weniger um Forschungsinstitutionen im engeren Sinne. Daneben existiert nach Art. 187, 188 Abs. 1 AEUV auch die Möglichkeit, Gemeinsame Unternehmen zu gründen, die neben Organen der EU auch Mitgliedstaaten und private Unternehmen einbinden können, gleichzeitig aber Einrichtungen der Union bleiben. Näher dazu m. w. N. *Gundel*, in: Schulze/Zuleeg/Kadelbach, Europarecht, 3. Aufl., Baden-Baden 2015, § 3, Rn. 47.

[154] So *Groß*, Die Autonomie der Wissenschaft im europäischen Rechtsvergleich, Baden-Baden 1992, S. 175; zust. *Fink*, EuGRZ 2001, 193 (197).

4. Die Rolle der Wissenschaftsfreiheit im Bereich der Wissenschaftsförderung

Da die Grundrechtecharta entsprechend ihrem Art. 51 Abs. 2 jedoch in keinem Falle eine Kompetenzerweiterung der EU begründet, bleibt die Organisation der Hochschulen eine nationale Angelegenheit, die weiterhin durch die Vorgaben der nationalen Grundrechte bestimmt wird. Für die Wissenschaftsförderung nach den Art. 179 ff. AEUV, die zu den wesentlichen Aktivitäten der Union im Wissenschaftsbereich gehört, haben die soeben erörterten organisatorischen Fragen jedoch Bedeutung.[155] Denn sie hat einen wesentlichen Einfluss auf die freie Ausübung der Wissenschaft, insbesondere der Forschung, und ist aus diesem Grunde besonders grundrechtsrelevant. Aus dem Grundrecht des Art. 13 GRCh folgt demnach das Verbot einer influenzierenden Förderung in dem Sinne, dass konkrete Erkenntnisse und Forschungsthemen benachteiligt und damit marginalisiert werden.

Konkrete Anforderungen, etwa an die Ausgestaltung des Vergabeverfahrens, enthält das Grundrecht indes nicht, solange die materiellen Vorgaben wissenschaftsadäquater Kriterien nach Maßgabe des Art. 13 GRCh eingehalten werden. Der europäische Gesetzgeber hat insofern einen Gestaltungsspielraum. Insbesondere folgt aus dem Grundrecht selbst kein zwingendes Gebot einer Vergabe durch in bestimmter Weise wissenschaftsnah besetzte Gremien mit unabhängigem Letztentscheidungsrecht.[156] Dies ist für die Gewährleistung der Wissenschaftsfreiheit auch nicht unbedingt erforderlich, da derartige Gremien keineswegs notwendigerweise zu den sachlich richtigeren Entscheidungen kommen.[157] Auch die notwendigen Verfahrensgarantien lassen sich auf unterschiedliche Weise erfüllen. So ergibt sich aus den Garantien der Verfahrensgrundrechte, dass die Entscheidungen dem Gebot der Sachlichkeit verpflichtet

---

[155] *Lindner*, WissR-Beih. 19 (2009), 85 ff. mit Kritik am derzeitigen Stand der EU-Forschungsförderung. Zur Forschungsförderung der EU s. etwa allgemein *Kotzur*, in: Schulze/Zuleeg/Kadelbach, Europarecht, 3. Aufl. Baden-Baden 2015, § 38, Rn. 65 ff.; *Ruffert*, in: Calliess/ders. (Hrsg.), EUV/AEUV, 4. Aufl., München 2011, Art. 179 AEUV, Rn. 6 ff.

[156] A. A., aber wohl zu weitgehend *Lindner*, WissR-Beih. 19 (2009), 89. Anders auch für die Kunstförderung *Britz*, EuR 2004, 1 (8 ff.), die freilich zu Recht anerkennt, dass es eine einzige richtige und allein grundrechtskonforme Lösung des Förderverfahrens nicht geben kann. Dass Gremienlösungen zweckmäßig sein können, ist eine andere Frage.

[157] Vgl. ausführlicher zum entsprechenden Problem bei der staatlichen Kulturförderung im deutschen Recht *Germelmann*, Kultur und staatliches Handeln, Tübingen 2013, S. 402 ff. Die durch den Schutz des Binnenmarktes motivierten unionsrechtlichen Regelungen über die öffentliche Auftragsvergabe sind auf die grundrechtliche Frage nicht unmittelbar übertragbar.

und nachvollziehbar begründet sein müssen[158] sowie es die Möglichkeit einer rechtlichen Überprüfung geben muss, die freilich keine Vollkontrolle sein kann.[159] Dass wissenschaftsnah besetzte Gremien allerdings gerade im Bereich der Forschungsförderung, die in sachlicher Hinsicht eine hohe Komplexität und Vielfalt aufweist und fachliches Verständnis erfordert, ein sachgerechter Organisationsansatz sind, ist in der Praxis anerkannt, wenngleich die Ausgestaltung im Detail durchaus Gegenstand von Diskussionen sein kann.[160]

Da sich zudem in keiner Rechtsordnung eine echte anspruchsbegründende Funktion des Grundrechts der Wissenschaftsfreiheit findet, kann sie auch im EU-Recht nicht angenommen werden.[161] Denkbar ist höchstens ein Teilhaberecht im Rahmen der bestehenden Anspruchsvoraussetzungen.[162] Dies bedingt zugleich, dass es den EU-Organen freisteht, den Umfang der Wissenschaftsförderung festzulegen.[163]

IV. Fazit: Stand und Perspektiven der Wissenschaftsfreiheit in der EU

Die Frage, ob es ein europäisches Grundrecht der Wissenschaftsfreiheit gibt, lässt sich nach alledem heute eher bejahen als noch vor wenigen Jahren. Die Normierung in Art. 13 GRCh hat das Potenzial, die Wissenschaftsfreiheit im europäischen Kontext zu stärken. Dies gilt vornehmlich für die abwehrrechtliche Dimension, die bereits für das Grundrecht

---

[158] S. bereits *Classen*, WissR 1995, 97 (106).

[159] Zur gerichtlichen Inhaltskontrolle von Fördervereinbarungen vgl. beispielhaft EuG, 28.3.2012, Rs. T-296/08, Berliner Institut für Vergleichende Sozialforschung; 17.10.2012, Rs. T-286/10, Fondation de l'Institut de recherche IDIAP.

[160] S. für die Förderung durch den Europäischen Forschungsrat (ERC) *Groß*, EuR 2010, 299 (303 ff.); für dessen organisatorische Ausgestaltung im übrigen *Lorz/Payandeh*, WissR-Beih. 22 (2012), 4 (54 ff.).

[161] So zu Recht auch *Lindner*, WissR-Beih. 19 (2009), 88; für die Kunstförderung *Britz*, EuR 2004, 1 (20). Weitergehend wohl *Kotzur*, in: Schulze/Zuleeg/Kadelbach (Hrsg.), Europarecht, 3. Aufl., Baden-Baden 2015, § 38 Rn. 45. Eine anspruchsbegründende Funktion des Art. 13 GRCh ist überdies ohnehin nur gegenüber der Union, nicht gegenüber den Mitgliedstaaten denkbar; auch im Rahmen ihrer Bindung nach Art. 51 Abs. 1 GRCh führt die Norm nicht zu Leistungsrechten auf Forschungsförderung der Mitgliedstaaten. Eine Verpflichtung der Mitgliedstaaten zur Forschungsförderung kann freilich sekundärrechtlich begründet werden; s. aus dem Bereich des Artenschutzrechts EuGH, 13.12.2007, Rs. C-418/04, Kommission/Irland, Slg. 2007, I-10947, Rn. 266 ff.

[162] Dafür *Jarass*, EU-GRCh, 2. Aufl., München 2013, Art. 13, Rn. 12.

[163] S. in diesem Zusammenhang jüngst die Kritik an dem Plan der Kommission zur Umschichtung von Mitteln des EU-Forschungsrahmenprogramms „Horizon 2020" zugunsten des „Europäischen Fonds für strategische Investitionen"; Meldung Heute im Bundestag Nr. 63 vom 4.2.2015, sub 1. Zum Kompromiss s. Pressemitteilung der HRK vom 28.5.2015.

aus Art. 10 EMRK vom EGMR in jüngerer Zeit intensiviert wurde. Die dogmatische Verzahnung der beiden Grundrechtsgewährleistungen kann zu einer Stärkung des Grundrechtsschutzes führen, da die jeweils eine Grundrechtsordnung auf den Bestand der Erkenntnisse der jeweils anderen zurückgreifen und diese fortführen kann. Insofern bietet sich auch der Rückgriff auf die rechtsvergleichende Methode an; denn in Bezug auf das Abwehrrecht bestehen durchaus gemeinsame Rechtsgrundsätze in den Mitgliedstaaten.

Deutlich weniger Aussagen gibt es aus europäischer Sicht wie auch aus Sicht der Mitgliedstaaten zu den organisationsrechtlichen Fragestellungen, die das deutsche Wissenschaftsrecht prägen. Freilich wird insofern keine Verdrängung des nationalen Grundrechtsschutzes stattfinden, da der Anwendungsbereich der Grundrechtecharta in diesen Bereichen im Einklang mit der fallgruppenbezogenen Rechtsprechung des EuGH[164] in den seltensten Fällen eröffnet sein wird. Allein die Berührung der Grundfreiheiten durch nationale Hochschulregelungen führt noch nicht zu einer Überführung des gesamten EU-Grundrechtsstandards.

Eine durchaus schwierige Frage stellen die potenziellen Auswirkungen der unionsrechtlichen Wissenschaftsfreiheit auf die mitgliedstaatlichen Rechtsordnungen dar. Eine Vertiefung des Schutzes in denjenigen Rechtsordnungen, in denen die Wissenschaftsfreiheit traditionell schwächer gewährleistet ist, erscheint dabei durchaus denkbar. Inwieweit die Vertiefung indes direkt aus Art. 13 GRCh folgen kann, ist nicht zweifelsfrei. Rückwirkungen erscheinen vielmehr in erster Linie durch die Auslegung der EMRK denkbar, die kraft nationalrechtlicher Entscheidung eine erhebliche Wirkung auf das englische und das österreichische Recht, aber auch auf die französische Rechtsdogmatik entfaltet. Die Erkenntnisse zu Art. 13 GRCh können auf diesem Wege freilich indirekt Einfluss auf die nationale Grundrechtsrechtsprechung und -dogmatik im Bereich der Wissenschaftsfreiheit ausüben. Dieses Zusammenwirken unterschiedlicher Grundrechtsgewährleistungen wäre dann vielleicht in der Tat die Grundlage eines echten „europäischen Grundrechts auf Wissenschaftsfreiheit".

---

[164] Oben Fn. 18.

Christina Federer-Meyer und Maria Geismann

Podiumsdiskussion: Wert des Grundrechtsschutzes auf Europäischer Ebene

Unter der Moderation von Kammerpräsident am Gerichtshof der Europäischen Union *Thomas von Danwitz* sprachen zum Abschluss des ersten Tages der seinerzeitige Präsident des Gerichtshofs der Europäischen Union *Vassilios Skouris, Klaus Ferdinand Gärditz* (Universität Bonn) und *Claas Friedrich Germelmann* (Universität Hannover) – passend zum Ort der Tagung in Luxemburg – zum Thema *„Wert des Grundrechtsschutzes auf Europäischer Ebene".*

Die Referenten auf dem Podium bewiesen eindrucksvoll, dass für eine spannende Veranstaltung hitzig geführte Diskussionen mit kontroversen Ansichten nicht immer erforderlich sind, sondern im Gegenteil auch ein in Einigkeit geführtes Gespräch interessante, weiterführende Ergebnisse und neue Einsichten für die Zuhörer bereithalten kann.

In einer kurzen Einführung in das Thema betonte Kammerpräsident *Thomas von Danwitz* die Dynamik des europäischen Grundrechtsschutzes. Während die Bedeutung der Charta der Grundrechte der Europäischen Union[1] zunächst zurückhaltend beurteilt worden sei, habe sich diese Einschätzung spätestens mit dem Vertrag von Lissabon geändert. Die Entwicklung des Grundrechtsschutzes auf europäischer Ebene sei ein evolutiver, dynamischer Prozess, dessen Profilbildung sich noch in vollem Gange befinde.

Dieser grundlegenden Feststellung schloss sich der erste Referent des Podiums *Klaus Ferdinand Gärditz* unmittelbar an und führte zur Genese des europäischen Grundrechtsschutzes weiter aus: Zu Beginn des europäischen Integrationsprozesses hätten Grundrechtsfragen keine große Rolle gespielt. Erst mit der Fortentwicklung des Unionsrechts habe auch der Grundrechtsschutz an Bedeutung gewonnen. Mit der Zeit seien erst durch die Erweiterung der Befugnisse der Union auch die Möglichkeiten von

---

[1] Feierlich proklamiert am 7. Dezember 2000 durch die Regierungskonferenz in Nizza; rechtskräftig seit dem 1. Dezember 2009, gemeinsam mit dem Inkrafttreten des Vertrags von Lissabon in der Fassung von 2012 ABl. C 326 vom 26.10.2012, S. 396.

WissR Beiheft 24 – S. 49–57
ISSN 0948-1478 – © Mohr Siebeck 2016

Grundrechtseingriffen bei der Umsetzung von Unionsrecht entstanden
(z. B. Strafverfolgung, Datenschutzfragen).

Für die Diskussion seien jedoch zwei Fragestellungen auseinanderzu-
halten. Zentral für den weiteren Prozess sei einerseits die Frage der Kompetenzverteilung geworden: Welchen Akteuren, d. h. welchen Gerichten
auf welcher institutionellen Ebene innerhalb des europäischen Gerichtsverbundes, sei die Entwicklung eines spezifisch europäischen Grundrechtsschutzes zu überantworten? Andererseits sei zu diskutieren, welcher Schutzstandard für den Grundrechtsschutz auf europäischer Ebene
angemessen sei, mit anderen Worten, welchen inhaltlichen Anforderungen
müsse dieser Grundrechtsschutz genügen?

In der um diese Fragen kreisenden Diskussion[2] spiele insbesondere
die Auslegung des Art. 51 der Charta eine entscheidende Rolle. Die
Grundrechtecharta sei die geeignete Grundlage, auf der sich eine Grundrechtsdogmatik für das Europarecht herausbilden könne. Nach Art. 51 finden die Grundrechte der Charta bei der Durchführung des Unionsrechts
Anwendung; folglich immer dann, wenn entweder die Union durch eigene
Organe handelt oder wenn die Mitgliedstaaten Unionsrecht durchführen.
Umstritten sei, in welchen Fällen von „Durchführung des Unionsrechts"
gesprochen werden könne. Die Entscheidung der Frage sei deshalb so zentral (vor allem für das Bundesverfassungsgericht), da die unionsrechtlichen
Grundrechte Vorrang vor den nationalen Rechtsordnungen genössen und
sie deshalb der Jurisdiktion der mitgliedstaatlichen Verfassungsgerichte
entzogen seien. Aus rechtlicher Sicht sei diese Entwicklung allerdings
nicht zu beanstanden. Sie sei schlicht Folge einer Entwicklung hin zu einer
föderalen Rechtsordnung, innerhalb derer nationalstaatliche Kompetenzen sukzessive auf eine höhere Ebene übertragen würden. Das Bestreben
des BVerfG, die eigene institutionelle Stabilität zu schützen, sei hingegen
juristisch nicht valide begründbar.

Von zentraler Bedeutung sei die zweite Frage nach dem inhaltlich-
materiellen Qualitätsstandard, dem ein europäischer Grundrechtsschutz
genügen müsse. In dieser Hinsicht habe seither ein mehr oder weniger
großes Misstrauen auf Seiten der deutschen Rechtswissenschaft und Judikatur gegenüber den europäischen Akteuren bestanden. Denn Grundrechtsfragen hätten auf europarechtlicher Ebene nur eine untergeordnete
Rolle gespielt. *Klaus Ferdinand Gärditz* verwies dabei vor allem auf die
vom Gerichtshof der Europäischen Union lange Zeit nur unzureichend
betriebene Verhältnismäßigkeitsprüfung. Dieses Misstrauen sei heute

---

[2] Siehe vor allem EuGH U. v. 26.2.2013, Rs. C-617/10 – Åkerberg Fransson, EuZW
2013, 302, Rn 19 ff.; BVerfG U. v. 24.4.2013, Az. 1 BvR 1215/07 – Antiterrordatei,
BVerfGE 133, 277 (316).

jedoch nicht mehr berechtigt. Gerade auch auf der Grundlage der Grundrechtecharta werde sich eine angemessene Balance der Schutzstandards auf europäischer Ebene in absehbarer Zeit finden. Diese Entwicklung sei bereits in Gang gesetzt.

Letztlich verdiene ein dritter Aspekt Beachtung: Aufgrund des Vorrangs des Unionsrechts, der auch den europäischen Grundrechten zukomme, seien die mitgliedstaatlichen Verwaltungsbehörden und die mitgliedstaatlichen Verwaltungsgerichte verpflichtet, die Grundrechtecharta von Amts wegen zu beachten. Ihnen käme die wichtige Aufgabe zu, die Anwendung und Umsetzung des Unionsrechts dezentral zu gewährleisten. Vor allem aufgrund ihrer Vorlageberechtigung nach Art. 267 AEUV komme den nationalen Verwaltungsgerichten – zusammen mit dem EuGH – damit eine entscheidende Funktion für den Schutz und die Entwicklung der europäischen Grundrechte zu.

Klaus Ferdinand Gärditz beendete seinen Kurzvortrag mit der Prognose, das Bundesverfassungsgericht einerseits werde im Zuge der voranschreitenden Entwicklung eines spezifisch europäischen Grundrechtsschutzes im Verhältnis zu den mitgliedstaatlichen Verwaltungsgerichten und dem EuGH andererseits erheblich an Bedeutung verlieren. Das einzig verbleibende Manko an dieser Situation einer multipolaren Gerichtsbarkeit könnte sich dabei für den Rechtsanwender daraus ergeben, die rechtlichen Maßstäbe des Rechtsschutzes nicht eindeutig und verlässlich erkennen zu können.

Claas Friedrich Germelmann griff das angeführte Problem der Undeutlichkeit der rechtlichen Maßstäbe auf und richtete den Fokus auf den materiellen Gehalt des europäischen Grundrechtsschutzes. Er widmete sich hierbei zunächst der Frage, was genau der europäische Grundrechtsschutz inhaltlich sei bzw. sein sollte. Grundsätzlich sei es insbesondere Aufgabe der Rechtswissenschaft sowie der Judikatur, konkrete Maßstäbe zur inhaltlichen Bestimmung der europäischen Grundrechte aufzuschlüsseln. Ein besonderes Augenmerk müsse auf die Tatsache gerichtet werden, dass die europäische Grundrechtecharta ein *gemeinsames* Projekt der unterschiedlichen mitgliedstaatlichen Rechtsordnungen sei und daher auch eine *gemeinsame* Auslegung und Anwendung erfordere. Das Mittel, mit welchem diese Aufgabe bewerkstelligt werden könne, sei keineswegs eine neuartige europarechtliche Erfindung, sondern ein vergleichender Blick auf die Verfassungstraditionen der Mitgliedstaaten der Europäischen Union sowie der Menschenrechtscharta der Vereinten Nationen[3]. Rechtsvergleichung stelle in materieller Hinsicht somit nach wie vor eine bedeutsame

---

[3] Allgemeine Erklärung der Menschenrechte, Resolution 217 A III der Generalversammlung der Vereinten Nationen vom 10. Dezember 1948, UN Doc. A/Res/217A (III).

Methode zur inhaltlichen Konkretisierung des europäischen Grundrechtsschutzes dar. Hierbei spielten allerdings neben den verschiedenen Rechts
ordnungen der Mitgliedstaaten auch deren Rechts*kulturen* eine gewichtige
Rolle. So sei der materielle Gehalt des europäischen Grundrechtsschutzes
kulturell bereits vorgeprägt und die Klärung rechtskultureller Divergenzen
ebenfalls notwendiger Bestandteil einer materiellen Bestimmung des europäischen Projekts der Grundrechtecharta. Inhaltlich sei der europäische
Grundrechtsschutz damit letztlich sowohl durch die Rechtsordnungen als
auch die Rechtskulturen der Mitgliedstaaten determiniert.

Die Feststellung der methodischen Mittel zur Auslegung und Anwendung der europäischen Grundrechtecharta werfe jedoch sogleich die Fragestellung auf, *wem* diese Aufgabe zukomme, oder mit anderen Worten,
wer prozedural zu entscheiden habe. Diese Anschlussproblematik stehe
unter dem Topos „materielle Angleichung versus prozedurale Angleichung". Denn eine prozedurale Problematik ergebe sich nicht nur, wie von
Klaus Ferdinand Gärditz zuvor dargestellt, zwischen den Verfassungs- und
Verwaltungsgerichten auf nationaler Ebene, sondern im Besonderen auch
auf internationaler Ebene. Die Lösung solcher Konfliktverhältnisse mittels einer prozeduralen Angleichung bedürfe einer Koordination, welche
allerdings nicht einfach zu bewirken sei und in näherer Zukunft auch nicht
unmittelbar erwartet werden könne. Das hieraus resultierende Defizit steigere in der Konsequenz die Bedeutung der materiellen Auseinandersetzung und somit – möglicherweise – die Relevanz des rechtswissenschaftlichen Diskurses in Bezug auf den materiellen Gehalt des europäischen
Grundrechtsschutzes. Zum Abschluss seines Kurzvortrages betonte *Claas
Friedrich Germelmann* den Aspekt der gerichtsübergreifenden Kooperationsmöglichkeiten, welcher nicht nur auf nationaler, sondern insbesondere auch auf internationaler Ebene eines Austarierens bedürfe, um eine
gewisse inhaltliche Vorhersehbarkeit der Gerichtsentscheidungen für den
Rechtsanwender gewährleisten zu können. Hier sei nicht nur die Wissenschaft, sondern auch die Politik gefordert.

Der sich anschließende Vortrag von Präsident *Vassilios Skouris* ließ die
Tagungsteilnehmer nicht nur an der Innensicht des Europäischen Gerichtshofes teilhaben, sondern zugleich an der authentischen Perspektive eines
Zeitzeugen, welcher die rasante Entwicklung des europäischen Grundrechtsschutzes mitverfolgen konnte. Im Hinblick auf die Entstehungsgeschichte der europäischen Grundrechtecharta betonte *Vassilios Skouris*,
der Luxemburger Gerichtshof habe stets überaus großen Wert darauf
gelegt, die ihm obliegende Funktion eines Rechts*anwenders* zu bewahren und sich keinesfalls die Position eines Rechts*setzers* anzumaßen. Der
Gerichtshof habe sich daher mit Bedacht jedweder willentlichen Einflussnahme auf den Entstehungsprozess der europäischen Grundrechtecharta

enthalten. Lediglich eine einzige Erwähnung der Grundrechtecharta vor ihrer rechtlichen Verbindlichkeit sei für die Richter des Gerichtshofes im Rahmen ihrer Rechtsprechungstätigkeit unumgänglich gewesen. Im Übrigen seien es jedoch ausschließlich nationale Gerichte sowie der Europäische Gerichtshof für Menschenrechte gewesen, welche auf die bis dato rechtlich unverbindliche Charta bereits verwiesen, diese ausgelegt oder zitiert hätten. Vor einer Würdigung der Rechtsprechung des Europäischen Gerichtshofs zur europäischen Grundrechtscharta müsse sich daher stets bewusst gemacht werden, dass der Gerichtshof die Grundrechtecharta erst *nach* ihrer rechtlichen Verbindlichkeit angewendet und ausgelegt und sich jeder inhaltlichen Beeinflussung *während* ihres rechtlichen Entstehungsprozesses enthalten habe.

Weiter führte *Vassilios Skouris* aus, dass aus dem eigenen Funktionsverständnis des Gerichtshofes zugleich resultiere, dass sich dieser keineswegs als ein originäres Grundrechtegericht betrachte, sondern seine Aufgabe vielmehr darin sehe, das Unionsrecht in seiner Gesamtheit einheitlich anzuwenden und auszulegen. Die europäische Grundrechtecharta werde als Bestandteil des Unionsrechts genauso von dieser Aufgabenbeschreibung umfasst, wie etwa jede europäische Richtlinie. Die Charta nehme für den Gerichtshof somit keinerlei Sonderstellung im Vergleich zum übrigen Unionsrecht ein, weshalb sich der Gerichtshof nicht mit einer *vorwiegenden* Anwendung und Auslegung der europäischen Grundrechtecharta betraut sehe. Es sei insbesondere auch unzutreffend, das Bundesverfassungsgericht und den Europäischen Gerichtshof funktionell gleichzusetzen. Aufgrund der divergierenden Aufgabenstellung liege ein Vergleich mit einem obersten Bundesgericht wesentlich näher als ein solcher mit dem Bundesverfassungsgericht. Abschließend widersprach *Vassilios Skouris* ausdrücklich der von *Klaus Ferdinand Gärditz* vorgetragenen These eines sich entwickelnden, nachhaltigen Bedeutungsverlustes des Bundesverfassungsgerichts. Das Bundesverfassungsgericht genieße verdient eine große Reputation unter den Verfassungsgerichten. Deshalb habe das Gericht weder einen künftigen Bedeutungsverlust aufgrund der Rechtsprechung des Gerichtshofes zu befürchten, noch könne man generell von einem institutionellen Konfliktverhältnis zwischen dem Bundesverfassungsgericht, dem Europäischen Gerichtshof sowie dem Europäischen Gerichtshof für Menschenrechte sprechen.

Im Anschluss öffnete Kammerpräsident *Thomas von Danwitz* die Diskussion auch für das internationale Fachpublikum.

Reinhard Müller (Frankfurter Allgemeine Zeitung) richtete seine Wortmeldung vornehmlich an *Klaus Ferdinand Gärditz*. Er bezweifle die These, der aktuell deutlich zu verzeichnende „Selbstbehauptungswille" des Bundesverfassungsgerichts im Verhältnis vor allem zum EuGH sei dem Grunde nach unjuristischer Natur. Das Bestreben des Gerichts, seine Position im Gefüge der verschiedenen Gerichtsbarkeiten im europäischen Verbund schützen zu wollen, habe auch Komponenten, die ihre Grundlage in der Verfassung, insbesondere der europäischen Verfassung, fänden. Dies gelte gerade auch mit Blick auf die Haltung des EuGH zum Beitritt zur EMRK und der Verteilung der Verantwortlichkeiten zwischen dem Gerichtshof einerseits und dem EGMR andererseits, wie sie im Gutachten 2/13 vom 18.12.2014 zum Ausdruck gekommen sei. *Klaus Ferdinand Gärditz* gestand zu, institutionelle Argumente könnten selbstverständlich auch juristischer Natur sein. Im vorliegenden Fall könne er juristisch tragfähige Argumente für die besondere Bedeutung der nationalen Verfassungsgerichte für den Grundrechtsschutz auf europäischer Ebene jedoch nicht erkennen. Für den Grundrechtsschutz sei allein entscheidend, auf welcher institutionellen Ebene ein sinnvolles Schutzniveau am effektivsten gewährleistet werden könne. Dies erläuterte er im Folgenden sowohl im Hinblick auf das Verhältnis der nationalen Verfassungsgerichte zum EuGH als auch im Hinblick auf das Verhältnis des EuGH zum EGMR.

Zwar habe der Gerichtshof sich lange Jahre die Kritik eines „apodiktischen Entscheidungsstils" gefallen lassen müssen, womit er einem hohen Schutzniveau häufig nicht ausreichend gerecht geworden sei. Auf diese Kritik habe der Gerichtshof jedoch zwischenzeitlich reagiert und insbesondere die Verhältnismäßigkeitsprüfung deutlich stärker ausdifferenziert. Das Bundesverfassungsgericht auf der anderen Seite überfrachte seine Urteile nicht selten mit Aussagen, die für die konkrete Entscheidungsfindung ohne Relevanz seien, was sich ebenfalls negativ auf die Effektivität des Grundrechtsschutzes auswirken könne. Aus rechtlicher Sicht sei für das Zusammenspiel der verschiedenen Gerichte innerhalb des europäischen Systems Art. 51 der Charta maßgeblich. Die Frage der Auslegung des Art. 51 der Charta betreffe sowohl demokratische als auch gewaltenteilende Aspekte. Die Anwendungsbestimmung der Charta sei daher bewusst begrenzt, um zu verhindern, dass über die Anwendung des Art. 51 der Charta hinaus neue Kompetenzen der Union entstünden. Die Frage des *quis iudicabit* bezogen auf die Ebene der Verfassungsgerichtsbarkeit habe bei der Primärrechtssetzung jedoch keine Rolle gespielt. Die Vorschrift intendiere eben nicht den Schutz der Rechtsprechungskompetenzen der mitgliedstaatlichen Verfassungsgerichte.

Daneben sei dem EuGH im Ergebnis in seiner rechtlichen Bewertung eines (nicht) möglichen Beitritts der Union zur EMRK zu folgen. Juristisch seien mit einem Beitritt viele, filigrane Probleme verbunden. Ein Gewinn für das Schutzniveau der Grundrechtsgarantien durch einen Beitritt der Europäischen Union zur EMRK dürfe ohnehin auch rechtspolitisch bezweifelt werden. Insbesondere mit Blick auf eine mögliche Rolle

des EGMR bei der Fortbildung eines spezifisch europäischen Grundrechtsschutzes sei die Argumentation des Gerichtshofs überzeugend.
Die Auslegung und Anwendung der Charta werde, wie bereits von *Claas
Friedrich Germelmann* erläutert, vor allem im Wege der Rechtsvergleichung zu leisten sein. Diese Methode stelle die Gerichte bei den teilweise
stark divergierenden Rechtsordnungen der Mitgliedstaaten jedoch vor
nicht unerhebliche Herausforderungen, wie Präsident *Vassilios Skouris*
angemerkt habe. Als besonderes Beispiel dürfe hier die Wissenschaftsfreiheit dienen, der die verschiedenen nationalen Rechtsordnungen teils
sehr unterschiedliche Inhalte beimessen.[4] Kein mitgliedstaatliches Gericht,
keine Verwaltungsbehörde sei dafür ausgestattet, diese Herausforderungen
zu bewältigen. Und auch dem EGMR sei die Bewältigung des erforderlichen Balanceakts nicht zuzutrauen, da dieser neben den Rechtsordnungen der EU-Mitgliedstaaten weitere Rechtsordnungen zu berücksichtigen
habe, denen wiederum eigene, teilweise sehr unterschiedliche Rechtsvor-
stellungen zugrunde lägen.

Im Gefüge des europäischen Gerichtsverbundes sei der EuGH daher
die am besten qualifizierte Instanz, über Anwendung und Maßstab der
europäischen Grundrechte zu entscheiden. Aufgrund der starken Ver-
knüpfung der europäischen Grundrechte mit dem Sekundärrecht und dem
detailliert ausgestalteten Verwaltungsrecht sei die erwähnte Tatsache, dass
es sich beim Gerichtshof nicht um ein Grundrechtsgericht handle, sondern
er als oberstes Fachgericht für Europarecht gelten dürfe, als Vorteil zu
bewerten. Das Vorlageverfahren nach Art. 267 AEUV könne als Schlüs-
selinstrument dienen, um im Wege einer wertenden Rechtsvergleichung
ein unionsrechtsangemessenes Schutzniveau zu konstituieren. Die hierzu
erforderliche Rechtsvergleichung könnten weder die mitgliedstaatlichen
Verfassungsgerichte (vor allem auch aus Mangel an Ressourcen) noch der
EGMR (aufgrund der Diversität der zu berücksichtigenden Rechtsordnungen) leisten.

Mit einem kritischen Gegenakzent griff *Mehrdad Payandeh* (Universität Düsseldorf) nochmals das durch *Klaus Ferdinand Gärditz* und *Vassilios
Skouris* thematisierte Verhältnis zwischen den unterschiedlichen gerichtlichen Akteuren im europäischen Mehrebenensystem auf. Zwar würde er
den Feststellungen der Referenten per se zustimmen, doch könnten diese
das bestehende Konfliktpotenzial nicht lösen. Insbesondere am Beispiel
der Vorratsdatenspeicherung[5] ließe sich hypothetisch zeigen, dass trotz
einer grundsätzlichen Abschwächung der Konfliktherde zwischen den

---

[4] Siehe dazu in diesem Heft *Fraenkel-Haeberle*, S. 1 ff. und *Germelmann*, S. 19 ff.
[5] Verbundene Rs. C-293/12 und C-594/12 – *Digital Rights Ireland Ltd/Minister for
Communications, Marine and Natural Recourses ua*, NVwZ 2014, 709 ff.

Gerichten sich diese im Einzelfall nach wie vor entzünden könnten. So würden sich in diesen Fällen, verbunden mit der Frage nach dem letzten Wort, zwangsläufig Fragestellungen nach der Reichweite der Geltung der europäischen Grundrechtecharta sowie der Rolle des Gerichtshofs als nicht originärem Grundrechtegericht anknüpfen.

Dem entgegnend stellte Präsident *Vassilios Skouris* klar, dass es selbstverständlich Konflikte zwischen den einzelnen nationalen und internationalen Gerichten geben könne, es aber seiner persönlichen Überzeugung entspreche, dass alle Gerichte verpflichtet seien, darauf hinzuwirken, mögliche Spannungen zu vermeiden. Das Bemühen um eine effektive Konfliktvermeidung liege letztlich im Interesse aller Akteure. Der Europäische Gerichtshof beschränke sich im Rahmen seiner Rechtsprechungstätigkeit daher ganz bewusst auf die ihm zugewiesene Aufgabe der Auslegung und Anwendung des Unionsrechts und respektiere damit zugleich die Grenzen seiner Zuständigkeit. Eine grundsätzliche Lösung der Konflikte, welche sich aus dem Vorrang des Unionsrechts ergeben, könne er hingegen nicht anbieten. Denn der Vorrang des Unionsrechts bestehe oder er bestehe eben nicht, unter keinen Umständen aber könne er lediglich partiell oder gar potentiell Geltung entfalten.

Kammerpräsident *Thomas von Danwitz* ergänzte mit Blick auf die angeführte Entscheidung zur Vorratsdatenspeicherung, der Mehrwert des Europäischen Gerichtshofs ergebe sich gerade daraus, dass ausschließlich diesem die Kompetenz übertragen sei, europäische Richtlinien für ungültig zu erklären. Der Gerichtshof trage damit eine Verantwortung für Gesamteuropa. Zudem müsse man bedenken, dass die nationalen und internationalen Gerichte in einem Gerichts*verbund* stünden, wodurch sich das Erfordernis herausbilden werde, sich an einem möglichst hohen Grundrechtsschutzniveau zu orientieren. Der europäische Grundrechtsschutz sehe daher keinesfalls einer dunklen Zukunft entgegen, da die Gerichte insgesamt hochwertige Schutzlösungen anstrebten. Abschließend ging *Thomas von Danwitz* noch einmal auf die These *Vassilios Skouris'* ein, dass sich der EuGH keineswegs als reines Grundrechtegericht betrachte und ergänzte hierzu, der Gerichtshof behalte das Augenmaß dafür, was praktisch erforderlich und sinnvoll sei. Insbesondere behalte er die notwendige Funktionsfähigkeit der mitgliedstaatlichen Verwaltungen im Blick, so dass es auch nicht zu einem Überbieten des Schutzniveaus kommen könne. Es bestehe folglich weder Anlass zur Befürchtung eines zu niedrigen, noch eines zu hohen Grundrechtsschutzniveaus.

Mit der letzten Wortmeldung des ertragreichen Tages betonte *Wolfgang Löwer* (Universität Bonn) noch einmal die positive Entwicklung des Grundrechtsschutzes innerhalb der Union und ergänzte, dass sich nach seiner Einschätzung mit dem Erlass der europäischen Grundrechtecharta ursprünglich virulente Fragen des richtigen Schutzstandards und seiner Gewährleistung nunmehr erledigt hätten. Dabei müsse zwischen der EMRK und der Grundrechtecharta deutlich unterschieden werden. Die EMRK sei als ein Rechtsinstrument zu sehen, das einer Pluralität von Rechtssetzern zu dienen bestimmt sei. Auf diese Pluralität habe der EGMR bei seiner Entscheidungsfindung mit großer Sensibilität Rücksicht zu nehmen. Ganz anders setze die europäische Grundrechtecharta für nur einen einzelnen Rechtserzeuger, nämlich die Europäische Union, grundrechtliche Maßstäbe, deren Umsetzung und Einhaltung nun richterlich zu kontrollieren seien. Das durch die Charta angestrebte Schutzniveau genüge heute ohne Zweifel den Ansprüchen des Grundgesetzes.

Dieser Einschätzung stimmten alle Referenten zu. *Claas Friedrich Germelmann* ging in seinem Abschlussplädoyer auf die praxisorientierte Fragestellung ein, wie sich die unterschiedlichen Gerichte bei der Anwendung der einschlägigen Grundrechtskataloge abstimmen könnten oder sollten. Der in der Diskussion vorgestellte Ansatz einer informellen Herangehensweise sei sicherlich pragmatisch und vielfach hilfreich. Es sei künftig zu beobachten, welche Bedeutung diese Vorgehensweise für den einzelnen Rechtsunterworfenen entfalte und ob sie hinreichend vorhersehbar sei. Auf diesen Aspekt eingehend, betonte Präsident *Vassilios Skouris* die hohe Bedeutung, welche der regelmäßig stattfindende Austausch und der Dialog des Europäischen Gerichtshofs mit dem Bundesverfassungsgericht habe. Nur so sei es überhaupt erst möglich, die Interessen und Nöte des jeweils anderen Gerichts verstehen und auf diese auch Rücksicht nehmen zu können. Der Gerichtshof sehe sich daher grundsätzlich nicht im Konflikt, sondern in einer fruchtbaren Zusammenarbeit mit den nationalen Verfassungsgerichten. Abschließend betonte *Klaus Ferdinand Gärditz* die durchaus positive Kraft, die von Konflikten ausgehen könne. Eine gewisse Unruhe innerhalb der verschiedenen Interpretationsquellen des europäischen Grundrechtsschutzes zwinge die Akteure zu einem offenen Austausch, der sie erst zu produktiven Einigungen führen könne. Offen ausgetragene Konflikte könnten sich auf diesem Wege positiv auf die Rechtsfortbildung auswirken.

Was lange währt, wird endlich gut.

Timo Hebeler

Verbot der Altersdiskriminierung im Hochschulpersonalrecht

I. Einleitung

In den vergangenen Jahren hat es in großer Anzahl Rechtsprechung des Europäischen Gerichtshofs und der deutschen Gerichte zur Altersdiskriminierung auch im Zusammenhang mit Beruf und Beschäftigung gegeben. Durchmustert man die europarechtlichen und die nationalrechtlichen Diskriminierungsbestimmungen, so zeigt sich schnell, dass es dort keine hochschulspezifischen Bestimmungen gibt. Der Hochschulsektor stellt somit nur *einen* neben anderen Beschäftigungssektoren dar, in denen Altersdiskriminierung auftreten kann. Durchmustert man weiterhin die bislang ergangene Rechtsprechung – die unter IV. noch detailliert darzustellen sein wird –, so zeigt sich, dass es bislang wenig Judikatur gibt, die sich speziell mit der Altersdiskriminierung im Hochschulbereich befasst hat. Es ist vielmehr so, dass die überwiegend nicht hochschulspezifische Rechtsprechung die Frage aufwirft, inwieweit sie auf den Hochschulsektor übertragbar ist.

Man wird den gesamten Topos „Altersdiskriminierung" im bisherigen Diskurs als weitgehend rechtssprechungsgeprägt ansehen müssen; denn das rechtswissenschaftliche Schrifttum, das sich mit der Altersdiskriminierungsfrage befasst, begleitet und reflektiert regelmäßig die Rechtsprechung, löst sich indes nicht von ihr, sondern ist auf diese fokussiert. Eine Loslösung soll auch hier nicht erfolgen. Anliegen dieses Beitrags ist es vielmehr, die bislang ergangene Rechtsprechung ordnend aufzuarbeiten und sodann der bereits angesprochenen Frage nachzugehen, inwiefern sie auf den Hochschulbereich übertragbar ist. Dieses Vorgehen lohnt auch deshalb, da es – soweit ersichtlich – bislang keine solche Betrachtung für den Hochschulbereich gibt.

Im Folgenden wird zunächst ein kurzer Überblick über die rechtlichen Maßstäbe für eine Altersdiskriminierung gegeben (II.). Sodann erfolgt eine gegenständliche Bestimmung des Hochschulpersonals sowie des Hochschulpersonalrechts (III.). Das Herzstück der Überlegungen stellt sodann die Analyse der einzelnen Problemfelder der Altersdiskriminierung im Hochschulpersonalrecht dar (IV.). Ein kurzes Fazit beschließt die Überlegungen (V.).

II. Rechtliche Maßstäbe für eine Altersdiskriminierung

Im deutschen Recht sind die rechtlichen Maßstäbe für eine Altersdiskriminierung im AGG normiert (1.). Daneben ist ferner die Richtlinie 2000/78/EG zu beachten (2.).

1. Altersdiskriminierung und AGG

Im Jahr 2006 ist das Allgemeine Gleichbehandlungsgesetz (AGG)[1] in Kraft getreten. Gem. § 1 AGG ist es Ziel des Gesetzes, Benachteiligungen aus Gründen der Rasse oder wegen der ethnischen Herkunft, des Geschlechts, der Religion oder Weltanschauung, einer Behinderung, des Alters oder der sexuellen Identität zu verhindern oder zu beseitigen. Nach § 2 Abs. 1 AGG sind Benachteiligungen u. a. in Bezug auf die Bedingungen (einschließlich Auswahlkriterien und Einstellungsbedingungen) für den Zugang zu unselbständiger Erwerbstätigkeit (§ 2 Abs. 1 Nr. 1 AGG) und die Beschäftigungs- und Arbeitsbedingungen einschließlich Arbeitsentgelt und Entlassungsbedingungen sowie der berufliche Aufstieg (§ 2 Abs. 1 Nr. 2 AGG) unzulässig. Speziell der Schutz der Beschäftigten vor Benachteiligung ist in Abschnitt 2 des Gesetzes (§§ 6–18 AGG) geregelt. Dort ist u. a. der persönliche Anwendungsbereich des AGG hinsichtlich des Beschäftigtenschutzes normiert. Beschäftigte im Sinne des AGG sind Arbeitnehmerinnen und Arbeitnehmer (§ 6 Abs. 1 S. 1 Nr. 1 AGG). Beamte gehören an sich nicht dazu. Für Beamte wird der Anwendungsbereich des AGG aber durch die Sonderregelung in § 24 AGG eröffnet. Gem. § 24 Nr. 1 AGG gelten die AGG-Vorschriften „unter Berücksichtigung ihrer besonderen Rechtsstellung entsprechend für Beamtinnen und Beamte". Die nur entsprechende Anwendung auf Beamte wurde vom Gesetzgeber mit dem Erfordernis der sachgerechten und kontinuierlichen Erfüllung öffentlicher Aufgaben mit Blick auf die Gemeinwohlverpflichtung des öffentlichen Dienstes für notwendig erachtet[2].

Die Rechtfertigungstatbestände für eine Differenzierung wegen des Merkmals Alter sind in § 10 AGG normiert. Eine unterschiedliche Behandlung wegen des Alters ist zulässig, wenn sie objektiv und angemessen und

---

[1] Gesetz vom 17.8.2006, BGBl. I, S. 1897.
[2] Vgl. BT-Dr. 16/1780, S. 49.

durch ein legitimes Ziel gerechtfertigt ist (§ 10 S. 1 AGG). Die Mittel zur
Erreichung dieses Ziels müssen angemessen und erforderlich sein (§ 10 S. 2
AGG).

In Form eines beispielhaften Katalogs führt sodann § 10 S. 3 AGG auf,
was derartige unterschiedliche Behandlungen insbesondere einschließen
können. Aus diesem insgesamt sechs Nummern umfassenden Katalog sind
in vorliegendem Zusammenhang zwei hervorzuheben, da sie im Folgenden noch relevant werden. So heißt es in § 10 S. 3 Nr. 3 AGG, dass ein
Höchstalter für die Einstellung festgesetzt werden kann aufgrund der Notwendigkeit einer angemessenen Beschäftigungszeit vor dem Eintritt in den
Ruhestand. Nach § 10 S. 3 Nr. 5 AGG können unterschiedliche Behandlungen nach dem Alter Vereinbarungen einschließen, die die Beendigung
des Beschäftigungsverhältnisses zu einem Zeitpunkt vorsehen, zu dem der
Beschäftigte eine Rente wegen Alters beantragen kann.

Neben diesen altersspezifischen Rechtfertigungsmaßstäben in § 10
AGG können aber auch noch weitere Rechtfertigungsmaßstäbe greifen,
die zwar nicht speziell für das Alter formuliert sind, aber *auch* für altersbezogene Regelungen gelten können. So normiert § 8 Abs. 1 AGG, dass eine
unterschiedliche Behandlung wegen eines in § 1 AGG genannten Grundes
zulässig ist, wenn dieser Grund wegen der Art der auszuübenden Tätigkeit
oder der Bedingungen ihrer Ausübung eine wesentliche und entscheidende
berufliche Anforderung darstellt, sofern der Zweck rechtmäßig und die
Anforderung angemessen ist.

2. Altersdiskriminierung und die Richtlinie 2000/78/EG sowie ihr Verhältnis zum AGG

Mit dem Erlass des AGG wurden insgesamt vier EU-Richtlinien umgesetzt[3]. Im Zusammenhang mit Fragestellungen betreffend Beschäftigung
und Beruf ist die Richtlinie 2000/78/EG bedeutsam, die den Titel „Richtlinie zur Festlegung eines allgemeinen Rahmens für die Verwirklichung
der Gleichbehandlung in Beschäftigung und Beruf" trägt. Mit § 10 AGG
wollte der deutsche Gesetzgeber Art. 6 der Richtlinie 2000/78/EG umsetzen. Art. 6 Abs. 1 S. 1 RL[4] ist sprachlich sehr ähnlich wie § 10 AGG gefasst

---

[3] Detaillierte Übersicht zu allen Richtlinien und dem deutschen Umsetzungsprozess
bei *Bauer/Krieger*, AGG-Kommentar, 4. Aufl. 2015, Einleitung, Rn. 16 ff.

[4] Art. 6 RL [Gerechtfertigte Ungleichbehandlung wegen des Alters] lautet auszugsweise:

„(1) Ungeachtet des Artikels (…) können die Mitgliedstaaten vorsehen, dass
Ungleichbehandlungen wegen des Alters keine Diskriminierung darstellen, sofern sie
objektiv und angemessen sind und im Rahmen des nationalen Rechts durch ein legitimes
Ziel, worunter insbesondere rechtmäßige Ziele aus den Bereichen Beschäftigungspolitik,

(Art. 6 Abs. 1 S. 1 RL entspricht sprachlich weitgehend § 10 S. 1, 2 AGG, Art. 6 Abs. 1 S. 2 Nr. b und c RL entsprechend weitgehend § 10 S. 3 Nr. 3, 5 AGG). Das Pendant zu § 8 AGG stellt Art. 4 RL[5] dar.

Die Richtlinie 2000/78/EG ist insgesamt inhaltlich so konkret gefasst, dass sie nach der insoweit einschlägigen Rechtsprechung des Europäischen Gerichtshofs[6] unmittelbar anwendbar ist. Dies bedeutet, dass es für deutsche Gerichte auch einen doppelten Prüfungsmaßstab gibt, ob eine altersbezogene deutsche Gesetzesregelung altersdiskriminierend ist. Praktische Bedeutung würde dieser doppelte Prüfungsmaßstab aber nur dann erlangen, wenn die Umsetzung der Richtlinie im AGG – im vorliegenden Kontext speziell: von Art. 4, 6 RL in §§ 8, 10 AGG – defizitär wäre.

Ob die Richtlinienumsetzung vollends gelungen ist, ist zwar nicht unumstritten[7]; allerdings hat bislang die Rechtsprechung keine Bedenken an einer hinreichenden Umsetzung erkennen lassen. Die deutschen Gerichte[8] prüfen vielfach die Richtlinien- und die AGG-Maßstäbe gleichsam „in einem Atemzug". Daher erfolgt auch hier im Folgenden keine scharfe Trennung zwischen diesen beiden Maßstabsebenen; der sprachlichen Einfachheit halber werden zumeist die AGG-Regelungen angeführt.

Arbeitsmarkt und berufliche Bildung zu verstehen sind, gerechtfertigt sind und die Mittel zur Erreichung dieses Ziels angemessen und erforderlich sind. Derartige Ungleichbehandlungen können insbesondere Folgendes einschließen: (…)

b) die Festlegung von Mindestanforderungen an das Alter, die Berufserfahrung oder das Dienstalter für den Zugang zur Beschäftigung oder für bestimmte mit der Beschäftigung verbundene Vorteile;

c) die Festsetzung eines Höchstalters für die Einstellung aufgrund der speziellen Ausbildungsanforderungen eines bestimmten Arbeitsplatzes oder aufgrund der Notwendigkeit einer angemessenen Beschäftigungszeit vor dem Eintritt in den Ruhestand. (…)".

[5] Art. 4 RL [Berufliche Anforderungen] lautet auszugsweise:

„(1) Ungeachtet des Artikels (…) können die Mitgliedstaaten vorsehen, dass eine Ungleichbehandlung (…) keine Diskriminierung darstellt, wenn das betreffende Merkmal aufgrund der Art einer bestimmten beruflichen Tätigkeit oder der Bedingungen ihrer Ausübung eine wesentliche und entscheidende berufliche Anforderung darstellt, sofern es sich um einen rechtmäßigen Zweck und eine angemessene Anforderung handelt. (…)".

[6] EuGH, NJW 1986, S. 2178 (2180); EuGH, NZA 2003, S. 506 (509); EuGH, NZA 2008, S. 581 (583).

[7] S. dazu etwa im Hinblick auf Art. 6 RL und § 10 AGG *Bauer/Krieger* (Fn. 3), § 10 Rn. 6 ff.; *Brors*, in: Däubler/Bertzbach, AGG-Handkommentar, 3. Aufl. 2013, § 10 AGG, Rn. 4 m. w. N.

[8] Vgl. VG Düsseldorf, Beschluss vom 25.9.2013, Az. 13 L 1412/13 (juris); VG Gelsenkirchen, Urteil vom 19.2.2010, BeckRS 2010, 47314; OVG NRW, Urteil vom 18.7.2007, Az. 6 A 4680/04 (juris); OVG NRW, Urteil vom 15.3.2007, Az. 6 A 4625/04 (juris); LAG Köln, Urteil vom 31.8.2007, Az. 11 Sa 564/07 (juris); LAG Köln, Urteil vom 31.8.2007, Az. 11 Sa 566/07 (juris); OVG NRW, Beschluss vom 5.6.2015, Az. 6 A 455/15 (juris).

III. Hochschulpersonal und Hochschulpersonalrecht

Hochschulpersonal meint seiner Wortbedeutung nach die Gesamtheit der
Bediensteten an einer Hochschule[9]. Im Einzelnen fallen darunter die Professoren, das weitere wissenschaftliche Personal (akademische Räte, Wissenschaftliche Mitarbeiter, wissenschaftliche und studentische Hilfskräfte),
das nichtwissenschaftliche Personal (Sekretärinnen, Verwaltungsbediens-
tete, Hausmeister etc.) und – falls man dies vom übrigen Verwaltungsper-
sonal nochmals verselbständigen mag – das Personal der Hochschulleitung
(Präsident bzw. Rektor, Kanzler)[10]. Für diese genannten Personengruppen
gelten unterschiedliche dienstrechtliche Regelungen. Die Unterschiedlich-
keit lässt sich dabei in mehrerlei Hinsicht aufschlüsseln: Teile der genannten Personengruppen sind verbeamtet, so dass das Beamtenrecht gilt. Für
die nicht verbeamteten Beschäftigten gilt das Arbeitsrecht. Für die an
Hochschulen des Bundes tätigen Beamten gilt ausschließlich Bundesbe-
amtenrecht. Für die an Hochschulen der Länder tätigen Beamten – und
dies ist die deutliche Mehrzahl – gilt teilweise Bundesbeamten-, teilweise
Landesbeamtenrecht. Dies hängt mit der komplizierten Aufteilung der
Gesetzgebungskompetenzen im Beamtenrecht im Zuge der Föderalis-
musreform 2006[11] zusammen[12]. Für Landesbeamte besitzt der Bund gem.
Art. 74 Abs. 1 Nr. 27 GG nur noch die Kompetenz zur Regelung der sog.
Statusrechte und Statuspflichten der Beamten, nicht mehr hingegen für das
Laufbahn-, Besoldungs- und Versorgungsrecht. Solange die Länder von
ihren neuen Gesetzgebungskompetenzen aber keinen Gebrauch gemacht
haben, gilt das Laufbahn-, Besoldungs- und Versorgungsrecht des Bundes
indes fort (vgl. Art. 125a, b GG). In föderaler Hinsicht sind die beamten-
rechtlichen Grundlagen für die Hochschulschulbeamten an Hochschulen
der Länder somit sehr unübersichtlich. Für die sogleich unter IV. im Einzelnen untersuchten Problemfelder der Altersdiskriminierung lässt sich
überblickartig sagen, dass zumeist das *Landes*beamtenrecht diejenigen
Normen beinhaltet, die im Hinblick auf eine Altersdiskriminierung zu
würdigen sind.

---

[9] Dieses zutreffende Verständnis verbinden etwa *Pautsch/Dillenburger*, Kompen-
dium zum Hochschul- und Wissenschaftsrecht, 2011, S. 149 ff., mit „Hochschulpersonal",
denn obwohl dort keine Definition oder Begriffsumschreibung erfolgt, wird der Sache
nach eindeutig unter Hochschulpersonal die besagte Gesamtheit der Bediensteten verstanden; ebenso in der Gesamtschau die Beiträge von *Grzeszick, Krausnick* und *Herber*, in:
Geis (Hrsg.), Hochschulrecht im Freistaat Bayern, 2009, S. 298 ff., S. 334 ff. und S. 353 ff.
[10] S. auch dazu *Pautsch/Dillenburger* (Fn. 9), S. 149 ff.
[11] Gesetz vom 28.06.2006, BGBl. 2006 I, S. 2034.
[12] S. zum Folgenden näher *Frank/Heinicke*, ZBR 2009, S. 34 ff.; *Lecheler*, ZBR 2007,
S. 18 ff.; *Knopp*, NVwZ 2006, S. 1216 ff.

Auch bei den Hochschulbeschäftigten, die dem Regime des Arbeitsrechts unterfallen, gibt es unterschiedliches einschlägiges Tarifrecht. Bei den Hochschulen der Länder greift der TV-L[13], bei den Hochschulen des Bundes der TVöD[14].

Angesichts dieser Fülle von Rechtsgrundlagen für das Hochschulpersonal kann im hier gegebenen Rahmen nicht aufgeschlüsselt nach sämtlichen Personengruppen eine altersdiskriminierungsrechtliche Würdigung vorgenommen werden. Eine fein aufgeschlüsselte Vorgehensweise ist indes auch nicht erforderlich, um das hier verfolgte Untersuchungsziel zu erreichen; denn wie unter I. bereits dargelegt, geht es darum, maßgeblich ausgehend von der bisherigen Rechtsprechung die Hochschulspezifika im Hinblick auf eine Altersdiskriminierung zu beleuchten. Für zahlreiche Personengruppen, die an Hochschulschulen tätig sind, stellen sich *ersichtlich* keine hochschulspezifischen Fragestellungen im beschriebenen Sinne. Dies sei an zwei Beispielen verdeutlicht: Wirft man die Frage auf, ob für eine Sekretärin, die an einer Professur einer Landesuniversität beschäftigt ist, die Bezahlungsstaffelung nach Erfahrungsstufen altersdiskriminierend ist, so stellt sich diese Frage genauso wie bei einer Sekretärin, die bei einem Landesverwaltungsamt beschäftigt ist. Zweites Beispiel: Ob die beamtengesetzliche Altersgrenze, bei der ein Beamter in den Ruhestand versetzt wird, für einen verbeamteten Justitiar an einer Landesuniversität altersdiskriminierend ist, ist genauso zu beurteilen wie bei einem verbeamteten Justitiar an einem Landesverwaltungsamt.

Aus diesen Überlegungen folgt, dass das Dienstrecht, das für Hochschulpersonal gilt, nur *selektiv* dargestellt und kritisch untersucht werden muss – nämlich soweit es Besonderheiten im Hinblick auf eine mögliche Altersdiskriminierung aufweisen kann. Diese selektive Vorgehensweise wird auch sogleich unter IV. verfolgt. Es wird sich dabei zeigen, dass sich die Hochschulspezifika im beschriebenen Sinne auf die Professoren konzentrieren. Für die Professoren ist ein grundsätzlicher Umstand zu beachten: Professoren müssen nicht zwingend verbeamtet werden. Die insoweit einschlägigen Vorschriften divergieren. Teilweise normiert das Landesrecht, dass Professoren in der Regel verbeamtet werden[15], teilweise werden der Beamtenstatus und der Beschäftigtenstatus

---

[13] Nicht hingegen in Hessen, weil es nicht der Tarifgemeinschaft der Länder angehört; in Hessen gilt stattdessen der TV-H.

[14] S. *Vogel*, in: Groeger (Hrsg.), Arbeitsrecht im öffentlichen Dienst, 2. Aufl. 2014, Teil 14 E, Rn. 1 ff.

[15] Vgl. Art. 3 Abs. 2 BayHSchPG; § 102 Abs. 5 LHG Berlin (Angestelltenverhältnis nur in Ausnahmefällen); § 51 Abs. 1 LHG RLP (Angestelltenverhältnis nur in begründeten Ausnahmefällen).

als zwei gleichrangige Möglichkeiten nebeneinander gestellt[16]. Ungeachtet dieser rechtlichen Vorgaben ist es *faktisch* aber so, dass in Deutschland bis gegenwärtig Hochschulprofessoren verbeamtet werden und dass es nur wenige Professoren im Beschäftigtenstatus gibt. Angesichts dieses Faktums werden die nachfolgenden Überlegungen zu den Professoren auf Basis des für Professoren geltenden *Beamten*rechts erfolgen.

IV. Die einzelnen Problemfelder der Altersdiskriminierung im Hochschulpersonalrecht

Eine Altersdiskriminierung im Hochschulpersonalrecht kommt in drei Fallgruppen – man kann auch von Problemfeldern sprechen – in Betracht. Es kann eine nach dem Alter gestaffelte Besoldung unzulässig sein (1.). Weiterhin können Höchstaltersregelungen für die Einstellung unzulässig sein (2.). Schließlich sind auch Altersgrenzen für den Eintritt in den Ruhestand zu würdigen (3.).

1. Besoldung nach dem Alter

a) Normbefund: Lebensalter- und erfahrungszeitbezogene Regelungen

Besoldungsspreizungen, die an das Alter anknüpfen, gab und gibt es nicht nur im Arbeitsrecht der Privatwirtschaft, sondern auch im Arbeitsrecht des öffentlichen Dienstes sowie im Beamtenrecht in Deutschland vielfach. Dementsprechend waren auch die Gerichte schon zahlreich damit befasst, eine diskriminierungsrechtliche Überprüfung solcher Regelungen vorzunehmen. Bei einer Differenzierung der Besoldung nach dem Alter muss man unterscheiden zwischen Regelungen, die an das Lebensalter anknüpfen, und solchen, die an das Dienstalter anknüpfen. Dabei können die Bezeichnungen im Hinblick auf ihren sachlich-inhaltlichen Bedeutungsgehalt aber mitunter missverständlich sein; denn dienstaltersbezogene Regelungen können ihrerseits an das Lebensalter anknüpfen und sind dann letztlich doch lebensaltersbezogen. Dienstaltersbezogene Bestimmungen können aber auch an Erfahrungszeiten anknüpfen und sind dann nicht lebensaltersbezogen.

Der bis zum Jahr 2005 geltende Bundes-Angestelltentarifvertrag (BAT) sah eine Bezahlungsstaffelung nach Lebensaltersstufen vor. Ausgehend von der Grundvergütung in der ersten Lebensaltersstufe (Anfangsgrund-

---

[16] Vgl. § 49 Abs. 1 LHG BW; § 43 Abs. 1 LHG Brandenburg; § 18 Abs. 5 LHG Bremen; § 61 Abs. 4 LHG Hessen; § 39 Abs. 1 LHG NRW; § 32 Abs. 1 UG Saarland.

vergütung) wurde bis zum Erreichen der Endgrundvergütung alle zwei Jahre eine neue Vergütungsstufe erreicht. Die Nachfolgetarifverträge (TVöD und TV-L) sehen eine Stufenzuordnung vor, die nicht mehr am Lebensalter, sondern an der einschlägigen Berufserfahrung ausgerichtet ist (vgl. insbesondere § 16 TVöD bzw. § 16 TV-L)[17].

Bis zum Jahr 2009 knüpfte auch das Bundesbesoldungsrecht für die Besoldungsgruppen A und B an ein Besoldungsdienstalter an, welches aber seinerseits maßgeblich am Lebensalter ausgerichtet war. Nach § 27 Abs. 1 S. 2 BBesG a. F. orientierte sich das Grundgehalt neben der Leistung am Besoldungsdienstalter. Gem. § 28 Abs. 1 BBesG a. F. begann das Besoldungsdienstalter am Ersten des Monats, in dem der Beamte das 21. Lebensjahr vollendet hatte. Dieser Beginn wurde gem. § 28 Abs. 2 S. 1 BBesG a. F. um Zeiten nach Vollendung des 31. Lebensjahres, in denen kein Anspruch auf Besoldung bestand, hinausgeschoben. Abweichend davon sollte nach § 28 Abs. 2 S. 2 BBesG a. F. bei Beamten in den Laufbahnen mit einem Eingangsamt der Besoldungsgruppe A 13 oder A 14 ein Hinausschieben erst nach Vollendung des 35. Lebensjahres erfolgen. Für Landesbeamte divergiert(e) die Rechtslage je nach Gesetzgeberaktivität im jeweiligen Bundesland. Im Jahr 2009 änderte für die Bundesebene der Gesetzgeber mit Gesetz vom 19.06.2009[18] das System. Seitdem sind bestimmte Dienstzeiten, in denen anforderungsgerechte Leistungen erbracht worden sind (sog. Erfahrungszeiten), der entscheidende Anknüpfungspunkt für den Aufstieg in eine höhere Grundgehaltsstufe, vgl. § 27 Abs. 1 S. 2 BBesG. Grundsätzlich steigt das Grundgehalt nach Erfahrungszeiten von zwei Jahren in Stufe 1, von jeweils drei Jahren in den Stufen 2–4 und von jeweils vier Jahren in den Stufen 5–7, vgl. § 27 Abs. 3 BBesG. In § 28 Abs. 1 S. 1 BBesG werden sog. „berücksichtigungsfähige Zeiten" den Erfahrungszeiten gleichgestellt. Der Bundesgesetzgeber änderte für die Bundesbeamten die Rechtslage aber nur mit ex nunc-Wirkung, so dass es für die Zeit bis 2009 noch „Altfälle" gibt, für die die lebensaltersbezogenen Besoldungsspreizungen noch Bedeutung haben. Deshalb gibt es auch bis gegenwärtig noch Rechtsstreitigkeiten, in denen es darum geht, ob das bis 2009 gültige Besoldungssystem altersdiskriminierend ist. Die Länder sind mittlerweile ebenfalls alle von dem bis 2009 auf Bundesebene geltenden Prinzip abgekommen[19]. Auch hier kann sich indes noch die besagte Altfallfrage stellen.

---

[17] S. dazu näher *Spelge*, in: Groeger (Fn. 14), Teil 8, Rn. 13.

[18] BGBl. I, S. 1434.

[19] S. dazu mit Einzelnachweisen zur landesrechtlichen Situation *Reich/Preißler*, Bundesbesoldungsgesetz-Kommentar, 2014, § 27 BBesG, Rn. 3, und § 28 BBesG, Rn. 1.

b) Rechtsprechung

aa) Lebensaltersbezogene Regelungen

Der Europäische Gerichtshof[20] sah im Jahr 2011 im Stufensystem des BAT eine nicht gerechtfertigte Altersdiskriminierung. Dem schloss sich sodann das Bundesarbeitsgericht[21] an. Der Europäische Gerichtshof[22] und das Bundesverwaltungsgericht[23] haben nunmehr kürzlich entschieden, dass das dargestellte dienstaltersbezogene Besoldungssystem, das bis 2009 gültig war (bzw. für die angeführten Altfälle noch gültig ist), vergleichbar dem BAT-Recht ebenso altersdiskriminierend ist.

Diese Sichtweise der Gerichte ist zutreffend und zwar aus folgenden Gründen: Der einzig ersichtliche sachliche Grund für eine Besoldungsspreizung nach dem Lebensalter kann darin zu sehen sein, dass mit zunehmendem Alter eine ebenfalls zunehmende Erfahrung und Leistungsfähigkeit des betreffenden Beamten gegeben ist und sich dies in der Besoldung abbildet. Diese Erwägung trägt aber letztlich nicht. Um es in den Worten des Bundesverwaltungsgerichts zu sagen: Das System der an das Lebensalter anknüpfenden Besoldungsregelungen geht über das hinaus, was zur Erreichung des beschriebenen legitimen Ziels erforderlich ist; denn ein solches System führt dazu, dass auch ein älterer Bediensteter ohne jede Berufserfahrung bei seiner erstmaligen Berufung in das Dienstverhältnis allein aufgrund seines höheren Lebensalters höher eingestuft wird[24]. Einem solchen Prinzip mangelt es an der Erforderlichkeit gem. § 10 S. 2 AGG, weil es nicht immer geeignet ist, den Leistungszuwachs des Bediensteten sicher und genau zu erfassen. Zugleich gibt es mit dem Merkmal der Erfahrungszeit ein Alternativmerkmal, das besser geeignet ist, den Leistungszuwachs abzubilden. Lebensaltersbezogene Besoldungsregelungen sind damit von der Rechtsprechung richtigerweise als unzulässig angesehen worden.

---

[20] EuGH, NZA 2011, S. 1100 ff.
[21] BAG, NZA 2012, S. 161 ff.
[22] EuGH, NVwZ 2014, S. 1294 ff.; s. dazu *Wonka*, DVBl 2015, S. 79 ff.
[23] BVerwG, RiA 2015, S. 126 ff.; BVerwG, Urteil vom 30.10.2014, Az. 2 C 5.13 (juris); BVerwG, ZBR 2015, S. 160 ff. Mit Entscheidungsdatum 30.10.2014 sind neben den drei genannten Urteilen noch weitere Parallelentscheidungen des Bundesverwaltungsgerichts ergangen.
[24] BVerwG, ZBR 2015, S. 160 (161); dort Verweis auf EuGH, NZA 2014, S. 831 (833); so auch schon EuGH, NZA 2011, S. 1100 (1103).

bb) Erfahrungszeitbezogene Regelungen

Erfahrungszeitbezogene Besoldungsregelungen sind demgegenüber bislang von der Rechtsprechung gebilligt worden. Das Bundesarbeitsgericht[25] und der Europäische Gerichtshof[26] haben das Regelungswerk des TVöD als diskriminierungsfrei eingestuft. Das Bundesverwaltungsgericht hat erst kürzlich geurteilt, dass das neue, seit 2009 geltende Erfahrungszeitenmodell keine Altersdiskriminierung enthält[27]. Dabei knüpft das Gericht auch an Rechtsprechung des Europäischen Gerichtshofs[28] aus dem Jahr 2006 an, in der bislang erlangte Berufserfahrung eines Arbeitnehmers als zulässiges Kriterium für Entlohnungsunterschiede gebilligt wurde.

Dieser Rechtsprechung ist zuzustimmen. Denn das Lebensalter ist zwar im Regelfall ein geeigneter Indikator für das Ausmaß der vorhandenen Erfahrung, doch existieren auch atypische Erwerbsleben, die entgegen der gesetzgeberischen Vermutung auch in höherem Alter noch keine tätigkeitsbezogene Erfahrung vorweisen. Gerade diese nicht beabsichtigte Benachteiligung junger Menschen umgeht der Gesetzgeber, indem er unmittelbar an die Erfahrungszeit anknüpft. Erfahrungszeitbezogene Besoldungsregelungen sind somit erforderlich und angemessen im Sinne von § 10 S. 2 AGG.

c) Hochschulspezifische Fragestellungen

Hochschulspezifische Fragestellungen im Hinblick auf eine altersdiskriminierende Besoldungsausgestaltung könnten daraus resultieren, dass für Professoren[29] nicht das soeben dargestellte Erfahrungszeitenmodell der Besoldungsordnungen A und B, sondern die Besoldungsordnung W gilt. Die Besoldungsordnung W hat im Jahr 2005 die zuvor gültige Besoldungsordnung C abgelöst[30]. Zunächst galt danach für die Besoldungsstufen W1, W2 und W3 jeweils ein einheitlicher Grundgehaltsbetrag. Eine Differen-

---

[25] BAG NZA 2012, S. 275 (277).

[26] EuGH NZA 2011, S. 1000 (1105).

[27] S. BVerwG, Urteil vom 30.10.2014, Az. 2 C 5.13, Rn. 16 (juris) (bezüglich der sächsischen Neuregelung).

[28] Verweis auf EuGH NZA 2006, S. 1205 (1206 f.).

[29] Und ferner auch für hauptberufliche Leiter von Hochschulen und Mitglieder von Leitungsgremien, die nicht Professoren sind, soweit ihre Ämter nicht Besoldungsgruppen der Besoldungsordnungen A und B zugewiesen sind (vgl. insoweit zur Geltungsreichweite der Besoldungsordnung W § 32 S. 2 BBesG).

[30] Die Besoldungsordnung C gilt nach wie vor für Professoren, die vor Ende 2004 berufen und ernannt wurden. Inwieweit die Besoldungsordnung C auch noch für Professoren gilt, die seit dem Jahresbeginn 2005 erneut berufen wurden, regelt im Einzelnen § 77 BBesG (vgl. insbesondere dessen Abs. 1 S. 2).

zierung der Besoldung nach Dienst-/Lebensalter erfolgte mithin nicht. Insofern ist auch eine Altersdiskriminierung nicht ersichtlich.

Im Februar 2012 erging sodann das sog. W2-Urteil des Bundesverfassungsgerichts[31]. Diese Entscheidung hatte keine Altersdiskriminierung zum Gegenstand, sondern bei ihr ging es allein darum, ob die Besoldungsregelungen für eine W2-Stelle mit dem Alimentationsprinzip als zu berücksichtigendem hergebrachten Grundsatz des Berufsbeamtentums gem. Art. 33 Abs. 5 GG vereinbar sind. Im vorliegenden Zusammenhang ist aus dieser Entscheidung allein Folgendes wesentlich: Das Bundesverfassungsgericht erklärte die W2-Besoldung – im entschiedenen Fall ging es um die hessische Regelung – für mit Art. 33 Abs. 5 GG unvereinbar und somit verfassungswidrig. Die Frage war und ist, wie der Bundes- und Landesgesetzgeber auf dieses Urteil reagiert und das jeweilige Besoldungsrecht umgestaltet. Es gab und gibt darauf mehrere Reaktionsmöglichkeiten. Eine Möglichkeit besteht darin, den Grundgehaltssatz für die Besoldungsstufe W2 insgesamt anzuheben, um auf diesem Weg dem Alimentationsprinzip zu genügen. Eine andere Möglichkeit besteht indes darin, Stufen einzuführen. Dies haben der Bund und einige Länder mittlerweile für die Besoldungsgruppe W2 und außerdem auch für die Besoldungsgruppe W3 getan. Beim Bund und in Bayern beispielsweise sind es drei Stufen, in Sachsen vier und in Hessen fünf Stufen[32]. Von Stufe 1 an steigt das Grundgehalt Stufe um Stufe an.

Die Frage ist, ob darin eine unzulässige Altersdiskriminierung zu sehen ist. Dies ist eindeutig zu verneinen. Dies wird deutlich, wenn man die Ausgestaltung des Stufenmodells genauer betrachtet: Die Anknüpfung für die Besoldungssteigerung liegt nicht im Alter, sondern in den zurückgelegten Dienstzeiten und der gesammelten Erfahrung[33]. Gem. § 32a Abs. 3 BBesG steigt das Grundgehalt nach Erfahrungsstufen von jeweils sieben Jahren in den Stufen 1 und 2. Grundsätzlich wird mit der Ernennung anfangs ein Grundgehalt der Stufe 1 festgesetzt (§ 32a Abs. 2 S. 1 BBesG). Ausnahmen gelten nur dann, wenn berücksichtigungsfähige Zeiten vorliegen (§ 32a Abs. 2 S. 1 BBesG); zu diesen zählen nur spezifisch universitäre Tätigkeiten (vgl. im Einzelnen den Katalog in § 32b Abs. 1 S. 1 BBesG). Die berücksichtigungsfähigen Zeiten für die Besoldungsordnungen A und B sind großzügiger als bei den Hochschulbeamten gefasst, denn bei den Besoldungsordnungen A und B muss es sich nicht zwingend um Zeiten handeln, in denen ein Amt bekleidet wurde, das dem nunmehr im Beam-

---

[31] BVerfGE 130, 263 ff.
[32] Vgl. *Wolff*, WissR 46 (2013), S. 126 (138); s. näher *Lindner*, in: Hebeler/Kersten/Lindner (Hrsg.), Handbuch Besoldungsrecht, 2015, § 12, Rn. 92 ff.
[33] *Wolff*, WissR 46 (2013), S. 126 (137).

tenstatus übertragenen Amt sachlich-inhaltlich sehr nahe kommt (vgl. die Auflistung des Katalogs berücksichtigungsfähiger Zeiten in § 28 Abs. 1 S. 1 BBesG). Die Regelungen betreffend die Besoldungsordnung W sind somit im Hinblick auf das, was „erfahrungsrelevant" ist, restriktiver ausgestaltet. Da letzteres – wie dargelegt – vom Bundesverwaltungsgericht[34] gebilligt wurde, ist im Wege eines Erst-Recht-Schlusses auch nichts gegen die Stufenmodelle für die W-Besoldung einzuwenden.

2. Höchstalter für die Einstellung

a) Normbefund

Im deutschen Beamtenrecht sind Höchstaltersgrenzen für den Erwerb des Beamtenstatus verbreitet[35]. Auf Bundesebene durfte man bis 2009 bei der Einstellung in den Vorbereitungsdienst nicht älter als 32 Jahre sein (vgl. § 14 Abs. 2 S. 1 BLV a. F.); diese Regelung wurde mittlerweile abgeschafft. In den Bundesländern ist die Rechtslage uneinheitlich; manche Länder kennen kein Höchstalter mehr, in anderen schwankt die Höhe, zum Teil nochmals differenziert nach den Laufbahnen[36] und nach besonderen Nichtlaufbahnbeamten wie z. B. Professoren. Für die Hochschulbeamten stellt sich zudem die Rechtslage auch hinsichtlich der Regelungssystematik unübersichtlich dar; teilweise findet sich die einschlägige Höchstaltersregelung im Landesbeamtengesetz, teilweise im Landeshochschulgesetz, teilweise in der jeweiligen Landeshaushaltsordnung. Blendet man diese regelungssystematische Unübersichtlichkeit aus, so lässt sich sachlich-inhaltlich für das Hochschulpersonal in Bund und Ländern Folgendes sagen: Es gibt zumeist[37] gesetzliche Höchstaltersgrenzen für die Einstellung. Das grundsätzlich zulässige Alter, das ein erstmals zu ernennender Professor noch nicht überschritten haben darf, liegt nirgends unter 45 Jahren[38] und nirgends über 55 Jahren[39]; meist gibt es Altersgrenzen zwischen diesen Extremen[40]. Vielfach sind diese Altersgrenzen aber mit Öffnungsklauseln versehen; so kann z. B. eine Ausnahme vom an sich grundsätzlich

---

[34] BVerwG, Urteil vom 30.10.2014, Az. 2 C 5.13, Rn. 16 (juris) (zur entsprechenden sächsischen Besoldungsregelung).

[35] *Begerau*, LKRZ 2011, S. 321 ff.; s. auch die Nennungen bei BVerwG, NVwZ 2010, S. 251 ff.; BVerwG, NVwZ 2009, S. 849 ff.

[36] Ausführliche Übersicht bei *Kühling/Bertelsmann*, NVwZ 2010, S. 87 (87 f.).

[37] Ausnahmen: Hessen und NRW, wo es gar keine gesetzliche Höchstaltersgrenze gibt.

[38] So in Sachsen-Anhalt, s. § 5 LaufbahnVO.

[39] So im Saarland, s. § 41 Abs. 4 UG, und in Bremen, s. § 48 Abs. 1 LHO.

[40] So etwa die Vollendung des 47. Lebensjahres in Baden-Württemberg oder die Vollendung des 52. Lebensjahres in Bayern, Sachsen und Thüringen.

geltenden Höchstalter zugelassen werden bei besonderen wissenschaftlichen Leistungen der betreffenden Person[41], bei Vorliegen eines dringenden
dienstlichen Interesses an einer Ernennung jenseits der an sich geltenden
Höchstgrenze[42] oder aus sonst wichtigen Gründen[43].

b) Rechtsprechung

Speziell zum Hochschulrecht gibt es noch keine Rechtsprechung, die sich
mit einer Altersdiskriminierung durch ein Einstellungshöchstalter befasst
hat. Es gibt indes Judikatur zum übrigen Dienstrecht. So hat das Bundesverwaltungsgericht[44] in zwei Entscheidungen aus den Jahren 2009 und
2012 jeweils Höchstaltersgrenzen für Lehrer – im Jahr 2009 betrug sie
35 Jahre, im Jahr 2012 40 Jahre – nach dem nordrhein-westfälischen Beamtenrecht als mit dem AGG und der Richtlinie 2000/78/EG im Einklang
stehend erachtet. Zwar stellten die Höchstaltersgrenzen eine Ungleichbehandlung wegen des Alters dar, die Rechtfertigungsvoraussetzungen
des § 10 AGG seien indes erfüllt. Durch die Höchstaltersgrenzen solle
ein Missverhältnis von Dienstzeit und Versorgungslast vermieden werden,
denn Beamte erdienten die lebenslang zu gewährende Versorgung während der aktiven Zeit und der Versorgung müsse eine hinreichend lange
aktive Zeit vorausgehen, damit beides in einem angemessenen Verhältnis
zueinander stehe. Andernfalls müsse der Dienstherr bei zu geringer aktiver
Dienstzeit zu hohe Versorgungslasten tragen. Außerdem rechtfertige auch
das Interesse des Dienstherrn an einer ausgewogenen Altersstruktur ein
Einstellungshöchstalter. Insgesamt seien daher die Rechtfertigungsvoraussetzungen von § 10 S. 1, 2 AGG erfüllt.
    In einer weiteren Entscheidung hat das Bundesverwaltungsgericht die
Höchstaltersgrenze von 25 Jahren für die Einstellung in den Vorbereitungsdienst für den mittleren Polizeivollzugsdienst im Land Berlin für
rechtmäßig erachtet[45]. Der Europäische Gerichtshof[46] hat im Jahr 2010
entschieden, dass einer innerstaatlichen Regelung, die das Höchstalter
für die Einstellung in die Laufbahn des mittleren feuerwehrtechnischen

---

[41] So in Bayern gem. Art. 10 III 2 BayHSchG und in Berlin gem. Rn. 4.2 der Aus-
führungsvorschrift zu § 48 LHO.
[42] So in Bremen gem. § 48 Abs. 2 LHO.
[43] So im Saarland gem. § 4 Abs. 4 SBG (aus wichtigen Gründen) und in Schleswig-
Holstein gem. § 48 Abs. 3 LHO (außerordentlicher Mangel an jüngeren Bewerbern und
erheblicher Vorteil für das Land).
[44] BVerwGE 133, 143 ff.; 142, 59 ff.
[45] BVerwG, NVwZ 2010, S. 251 ff.; vorgehend OVG Berlin-Bbg., Urteil vom
28. Februar 2008, Az. OVG 4 B 12.07 (juris).
[46] EuGH, NVwZ 2010, S. 244 ff.

Dienstes auf 30 Jahre festlegt, nicht die Richtlinie 2000/78/EG entgegenstehe. Die Festsetzung einer solchen Altersgrenze habe das Ziel, die Einsatzbereitschaft und das ordnungsgemäße Funktionieren der Berufsfeuerwehr zu gewährleisten. Der Feuerwehrdienst stelle enorme körperliche Anforderungen bei der Brandbekämpfung und der Personenrettung, so dass das Höchstalter gerechtfertigt sei. Andererseits hat der Europäische Gerichtshof[47] jüngst im November 2014 im Hinblick auf eine spanische dienstrechtliche Regelung entschieden, dass ein Höchsteinstellungsalter von 30 Jahren bei der örtlichen Polizei nicht zu rechtfertigen sei; sie verfolge weder beschäftigungspolitische Ziele im Sinne von Art. 6 der Richtlinie 2000/78/EG, noch sei sie erforderlich im Sinne von Art. 4 der Richtlinie 2000/78/EG, um die Einsatzbereitschaft und das Funktionieren der örtlichen Polizei in Spanien zu gewährleisten.

Das Verwaltungsgericht Greifswald[48] hat in einer kürzlich ergangenen Entscheidung das Einstellungshöchstalter von 40 Jahren für Lehrer in Mecklenburg-Vorpommern als diskriminierungsrechtlich unbedenklich erachtet. Unter Inbezugnahme auf die Rechtsprechung des Europäischen Gerichtshofs und des Bundesverwaltungsgerichts wurde auch hier zentral auf den Aspekt, dass Altershöchstgrenzen den Zweck verfolgen, ein ausgewogenes Verhältnis von Arbeitsleistung und Versorgungsansprüchen sicherzustellen, abgestellt.

Mustert man die gesamte bisherige Rechtsprechung, so lässt sich zusammenfassend sagen: Ein Einstellungshöchstalter kann sich aus folgenden Gesichtspunkten heraus rechtfertigen, wobei diese nicht alle kumulativ vorliegen müssen: Erstens, um ein ausgewogenes Verhältnis von Arbeitsleistung und Versorgungsansprüchen zu gewährleisten; zweitens, um eine ausgewogene Altersstruktur zu erreichen; drittens, um ein Funktionieren der jeweiligen Verwaltungseinheit sicherzustellen.

c) Würdigung

Das Schrifttum sieht diese Argumentation der Rechtsprechung zum Teil sehr kritisch[49]. So wird etwa vorgebracht, das Ziel der ausgewogenen Altersstruktur sei eher diffus und werde kaum plausibel hergeleitet und begründet. Der Zweck, ein Missverhältnis zwischen Dienstzeit und

---

[47] EuGH, NVwZ 2015, S. 427 ff.
[48] VG Greifswald, Urteil vom 18.12.2014, Az. 6 A 502/14 (juris).
[49] So insbesondere *Kühling/Bertelsmann*, NVwZ 2010, S. 87 (91, 93 f.); *Brors* (Fn. 7), § 10 AGG, Rn. 84; vgl. ferner *Forst*, in: Hey/Forst (Hrsg.), AGG-Kommentar, 2015, § 24 AGG, Rn. 28; *Koch/Kathke*, ZBR 2010, S. 181 ff.; *Kämmerer*, ZBR 2008, S. 325 (330 f.); *Baßlsperger*, ZBR 2008, S. 339 (343 f.) (zumindest laufbahnrechtliche Höchstaltersregelungen bei niedrigem Alter ablehnend).

Versorgungslast zu vermeiden, sei kein legitimer Grund für die Benachteiligung älterer Bewerber; vielmehr sei der Staat verpflichtet, wenn er eine überhöhte Versorgungslast vermeiden wolle, das Versorgungsrecht umzugestalten[50].

Man wird richtiger Ansicht nach differenzieren müssen: Das Ziel der ausgewogenen Altersstruktur ist in der Tat grundsätzlich eher diffus[51] und es ist überdies fraglich, inwieweit ein Einstellungshöchstalter überhaupt geeignet ist, zur Verwirklichung einer ausgewogenen Altersstruktur beizutragen. Die Altersstruktur ist abhängig von den im Haushalt vorgesehenen Stellen und der Zahl der Neueinstellungen in einem bestimmten Zeitraum; deshalb scheinen variable Einstellungsalter eher geeignet, eine ausgewogene Altersstruktur zu erreichen[52]. Speziell für den Hochschulbereich leuchtet überdies kaum ein, was eine „wünschenswerte" und somit „ausgewogene" Altersstruktur überhaupt sein soll. Da Höchstaltersgrenzen „verjüngend" auf den Personalkörper wirken und sie somit spiegelbildlich einer (Über-) Alterung entgegenwirken, müsste man begründen, worin der Eigen- bzw. Mehrwert einer solchen Verjüngung überhaupt liegen soll. Zumindest für den Hochschulbereich erscheint das Erreichen einer ausgewogenen Altersstruktur als Rechtfertigungsbelang für eine Benachteiligung des Alters wegen somit sehr fraglich.

Der Topos „Funktionstüchtigkeit" einer Verwaltungseinheit oder eines bestimmten Verwaltungszweiges mag mitunter seine Berechtigung haben, nämlich bei körperlich sehr fordernder Tätigkeit wie im bereits genannten Feuerwehrdienst. Hier können Altershöchstgrenzen auch dafür sorgen, dass eine körperliche Eignung gewährleistet wird. Wie dargestellt, hat dies der Europäische Gerichtshof aber jüngst beim örtlichen Polizeidienst nach spanischem Recht abgelehnt. Umso mehr muss dies für „kopfarbeitende" Professoren an Hochschulen gelten. Im Hochschulpersonalrecht dürften sich somit mit dem Argument des Erhalts der Funktionstüchtigkeit der Verwaltung Einstellungshöchstaltersgrenzen nicht rechtfertigen lassen.

Richtiger Ansicht nach verbleibt somit im Hochschulbereich nur der Belang, dass ein ausgewogenes Verhältnis von aktiver Dienstzeit und Versorgungsansprüchen erreicht werden soll. Um zu verstehen, wieso überhaupt und wenn ja, inwieweit dieser Gesichtspunkt trägt, sind einige Bemerkungen zum Versorgungsrecht nötig.

Im Versorgungsrecht sind mehrere Leistungsarten zu unterscheiden, insbesondere einerseits das Ruhegehalt des Beamten und andererseits wei-

---

[50] S. *Kühling/Bertelsmann*, NVwZ 2010, S. 87 (91, 93 f.).
[51] In diese Richtung auch *Koch/Kathke*, ZBR 2010, 181 (181).
[52] So nun auch BVerfG, NVwZ 2015, S. 1279 (1285).

tere Leistungen wie Beihilfen im Krankheitsfall oder weitere Versorgungsleistungen (z. B. für Hinterbliebene im Todesfall des Beamten).

Der Grundmechanismus im Beamtenversorgungsrecht ist Folgender[53]: Ein Beamter erhält regelmäßig erst nach fünf Dienstjahren überhaupt ein Ruhegehalt (versorgungsrechtliche Mindestdienstzeit; für die Bundesebene s. § 4 Abs. 1 S. 1 Nr. 1 BeamtVG). Sind diese fünf Dienstjahre erreicht, beträgt das Mindestruhegehalt sogleich 35 % der ruhegehaltsfähigen Dienstbezüge (§ 14 Abs. 4 S. 1 BeamtVG). Bildlich gesprochen „springt" somit der Versorgungssatz bei Erreichen dieser fünf Jahre sogleich von Null auf 35 %, weil man keine „Minipensionen" leisten möchte[54]. Pro Dienstjahr wird eine Versorgung in Höhe von 1,79375 % erdient, so dass nach 40 Dienstjahren ein Versorgungssatz von 71,75 % erreicht ist (vgl. § 14 Abs. 1 S. 1 BeamtVG). Bei diesem vollen Ruhegehalt tritt dann eine Deckelung ein, d. h. selbst bei mehr als 40 Dienstjahren steigt der Versorgungssatz nicht über 71,75 %. Hinzu kommt Folgendes: Versorgungsrechtlich werden Rentenansprüche, die ein Ruhestandsbeamter erworben hat (nämlich in der Zeit vor seiner Ernennung zum Beamten), auf die Versorgung angerechnet und zwar auch auf die Mindestversorgung (Einzelheiten: § 55 BeamtVG).

Dieser Mechanismus ist wie folgt zu bewerten: Ist ein Beamter z. B. nur zehn Jahre im aktiven Dienst, so bekommt er versorgungsrechtlich quasi die ersten fünf Jahre geschenkt, weil er sogleich 35 % Versorgungssatz erhält, ohne sich diesen Satz mit den genannten jährlichen 1,79375 % vollauf „erdient" zu haben. Zugleich sieht man aber, dass mit zunehmender Dienstdauer dieser Vorteil für den Beamten abschmilzt, denn nach knapp 20 Dienstjahren sind die 35 % Versorgungssatz ohnehin „erdient" (20 mal 1,79375 % ergeben gut 35 %); ab dann steigt der Versorgungssatz linear um jährlich weitere 1,79375 % an.

Für die Einordnung von Einstellungshöchstgrenzen bedeutet dies: Gäbe es keine Einstellungshöchstgrenze, dann könnte ein Missverhältnis zwischen aktiver Dienstzeit und den Versorgungsansprüchen überhaupt nur dann auftreten, wenn das Einstellungshöchstalter aktive Dienstzeiten von weniger als 20 Jahren bewirkt; und selbst wenn dies der Fall sein sollte, so ist zusätzlich zu bedenken, dass die den Dienstherrn treffende Versorgungslast in einer Vielzahl von Fällen durch die besagte Anrechnung von Rentenansprüchen abgemildert wird. Wie bereits gesagt, können die bestehenden Einstellungshöchstgrenzen im Hochschulbereich kaum eine aktive Dienstzeit von weniger als 20 Jahren bewirken. Bei einem Höchsteinstellungsalter von z. B. 50 Jahren und einem Pensionierungsalter von 67 Jahren

---

[53] S. zum Folgenden *Kühling/Bertelsmann*, NVwZ 2010, S. 87 (90).
[54] Ausführlich dazu *Greipl*, ZBR 2012, S. 238 ff.

wird der genannte 20-Jahreszeitraum nicht erheblich unterschritten. Ein sehr großer versorgungsrechtlicher Einspareffekt wird durch das Einstellungshöchstalter nicht bewirkt. Insoweit scheint das Argument, durch ein Einstellungshöchstalter ein Missverhältnis zwischen aktiver Dienstzeit und Versorgungsansprüchen zu vermeiden, fragwürdig.

Aber trotz dieser genannten Gesichtspunkte hat das Bundesverwaltungsgericht in einer Entscheidung aus dem Jahr 2009, die bis gegenwärtig insoweit als die Leitentscheidung anzusehen ist, deutlich ausgesprochen, dass ein Höchsteinstellungsalter gerechtfertigt ist. Das Bundesverwaltungsgericht hat nämlich betont, dass nicht allein auf die Relation zwischen aktiver Dienstzeit und Ruhegehaltssatz abzustellen ist, sondern auf ein angemessenes Verhältnis zu den gesamten Versorgungslasten[55]. Zu den weiteren Versorgungslasten neben dem Ruhegehalt führt das Gericht – etwas erstaunlich – nichts Näheres aus. Gemeint sind aber wohl folgende Umstände: Wenn ein Beamter erkrankt und somit Beihilfeansprüche entstehen oder ein Beamter verstirbt und somit Ansprüche von Hinterbliebenen gegeben sind, so können solche Ansprüche vom Eintritt in den Ruhestand bis zum Tod des Beamten statistisch gleich für alle Beamten entstehen – unabhängig wie lange die aktive Dienstzeit war. Gäbe es kein Einstellungshöchstalter, so könnte die aktive Dienstzeit vergleichsweise kurz sein. Es müssten daher – damit der jeweilige Dienstposten dauerhaft besetzt und ausgefüllt wird – mehrere Beamte hintereinander für diesen Dienstposten eingestellt werden und das besagte kostenträchtige „Risiko" für den Dienstherrn, Beihilfeleistungen oder Leistungen von Todes wegen erbringen zu müssen, würde steigen. Dies stellen nach Ansicht des Gerichts erforderliche und angemessene Belange dar, um die Benachteiligung des Alters wegen zu rechtfertigen[56].

3. Altersgrenzen für den Eintritt in den Ruhestand

a) Normbefund

Gesetzliche Altersgrenzen für den Eintritt in den Ruhestand von Beamten gibt es im deutschen Beamtenrecht durchgehend. Auch hier ist – ähnlich wie bei den Einstellungshöchstaltersgrenzen – die Regelungsvielfalt hoch. So liegen für besondere Beamtengruppen die Altersgrenzen z. T. deutlich vor der Vollendung des 65. Lebensjahres; Beispiel ist die Altersgrenze für

---

[55] BVerwGE 133, 143 (150).
[56] Das Bundesverfassungsgericht hat jüngst – in dieselbe Richtung wie das Bundesverwaltungsgericht gehend – den weiten Gestaltungsspielraum betont, der dem Gesetzgeber bei der Implementierung von einem Höchstalter für die Einstellung von Beamten einzuräumen sei, um ein ausgewogenes Verhältnis zwischen aktiver Dienstzeit und Versorgungsansprüchen zu erreichen (BVerfG, NVwZ 2015, S. 1279 (1284 f.)).

Polizisten von 60 Jahren, bei Soldaten liegen die Grenzen je nach Tätigkeitsprofil bisweilen noch darunter[57].

Neben diesen besonderen Beamtengruppen, für die es ein abgesenktes Ruhestandsalter gibt, gibt es auf Bundesebene für die Bundesbeamten und im jeweiligen Land für die Landesbeamten ein allgemeines Ruhestandsalter. Dieses liegt mittlerweile zumeist bei der Vollendung des 67. Lebensjahres (in Nachzeichnung der entsprechenden Rentenaltersgrenze in der gesetzlichen Rentenversicherung)[58]. Es gibt überall Regelungen, wonach auf Antrag des betreffenden Beamten das Ruhestandsalter nach hinten hinausgeschoben werden kann, wobei das maximale Alter schwankt (oftmals ist es die Vollendung des 68.[59] oder 70.[60] Lebensjahres, in Niedersachsen[61] die Vollendung des 71. Lebensjahres. Der betreffende Beamte hat hier, wenn er den Verlängerungsantrag stellt, keinen voraussetzungslosen Anspruch auf Verlängerung, sondern es ist vom Dienstherrn eine Ermessensentscheidung zu treffen, d. h. er „kann" dem Antrag stattgeben (für die Bundesebene: § 53 Abs. 1 BBG). Tatbestandlich verlangen die einschlägigen Normen zudem, dass die Verlängerung im dienstlichen Interesse liegt (vgl. ebenso § 53 Abs. 1 BBG).

Für Hochschullehrer gibt es teilweise spezielle Regelungen. Diese bestehen oftmals darin, dass Besonderheiten hinsichtlich der Verlängerungsmodalitäten gelten. In Baden-Württemberg z. B. kann auf Antrag die Dienstzeitverlängerung bis zur Vollendung des 70. Lebensjahres (§ 45 Abs. 2 LHG BW) erfolgen, wohingegen dies in Baden-Württemberg für die „normalen" Beamten nur bis zur Vollendung des 68. Lebensjahres möglich ist. Einen Extremfall stellt die bundesrechtliche Regelung für Professoren im Bundesdienst dar. Gem. § 132 Abs. 7 BBG kann hier auf Antrag sogar eine Verlängerung bis zur Vollendung des 75. Lebensjahres erfolgen, für „normale" Bundesbeamte hingegen nur bis zur Vollendung des 70. Lebensjahres (§ 53 Abs. 1 S. 1 BBG). Ebenso bei Professoren besteht kein voraussetzungsloser Verlängerungsanspruch, sondern auch hier ist dienstherrnseitiges Ermessen gegeben und auch hier ist ein dienstliches Interesse bzw. dienstliches Bedürfnis notwendig.

---

[57] S. dazu die Übersicht der Länderregelungen betreffend den Polizeivollzugsdienst bei *Hartig*, Altersdiskriminierung im öffentlichen Dienst, 2014, S. 128 in Fn. 119; s. ferner ausführlich *Hebeler/Spitzler*, Das Hinausschieben des Ruhestandseintritts im Beamtenrecht, DVBl. 2016 (im Erscheinen).

[58] S. nur §§ 51 Abs. 1 BBG, 36 Abs. 1 LBG BW, 45 Abs. 1, 2 LBG Bbg., 35 Abs. 1, 2 LBG Bremen, 35 Abs. 1 LBG Hamburg, 33 Abs. 1, 2 LBG Hessen, 35 Abs. 1 LBG MVP, 35 Abs. 1, 2 LBG Nds.; weitere Nachweise bei *Hartig* (Fn. 57), S. 278 in Fn. 231.

[59] §§ 39 LBG BW, 38 Abs. 2 LBG Berlin.

[60] §§ 53 Abs. 1 BBG, 45 Abs. 3 LBG Bbg., 35 Abs. 4 LBG Bremen, 35 Abs. 4 LBG Hamburg, 34 Abs. 1 LBG Hessen, 35 Abs. 3 LBG MVP.

[61] § 36 Abs. 1 LBG Nds.

b) Rechtsprechung

Die Altersgrenzen für den Eintritt in den Ruhestand sind dasjenige Problemfeld einer möglicherweise unzulässigen Altersdiskriminierung, zu der bislang die meiste Rechtsprechung ergangen ist. Es ist zudem so, dass hier auch bereits zahlreiche Entscheidungen vorliegen, die sich speziell mit der rechtlichen Situation betreffend Professoren befassen.

Im Ergebnis lässt sich sagen, dass die Rechtsprechung – und zwar sowohl des Europäischen Gerichtshofs als auch der deutschen Verwaltungsgerichtsbarkeit – gesetzliche Altersgrenzen für die Versetzung in den Ruhestand nahezu durchweg gebilligt hat. Allein das Verwaltungsgericht Frankfurt am Main[62] hat im Jahr 2012 die Altersgrenzenregelung in § 50 HBG vor dem Hintergrund von Art. 4 Abs. 1, Art. 6 Abs. 1 RL 2000/78/EG und § 8 Abs. 1, § 10 AGG als nicht gerechtfertigte Altersdiskriminierung bewertet.

Drei zentrale Entscheidungen des Europäischen Gerichtshofs sind anzuführen:

Im Oktober 2010 hat der Europäische Gerichtshof in der mittlerweile wohl schon als berühmt zu bezeichnenden Rosenbladt-Entscheidung geurteilt, dass arbeitsvertragliche Klauseln, die bestimmen, dass mit dem Erreichen des gesetzlichen Rentenalters ein Arbeitsverhältnis endet, mit der Richtlinie 2000/78/EG vereinbar sein können. Die Kernbegründung des Gerichts lautete: Ein automatisches Ausscheiden aus dem Arbeitsverhältnis mit dem Erreichen des Rentenalters sei Ausdruck eines politischen und sozialen Konsenses, der vor allem auf dem Gedanken einer Arbeitsteilung zwischen den Generationen beruhe. Die Beendigung des Arbeitsverhältnisses der Beschäftigten, die nunmehr das Rentenalter erreicht hätten, komme unmittelbar den jüngeren Arbeitnehmern zugute, indem ihre Integration in den Arbeitsmarkt durch frei werdende Stellen begünstigt werde[63]. Die Regelung verfolge somit legitime Ziele der nationalen Arbeits- und Beschäftigungspolitik und stehe daher im Einklang mit Art. 6 Abs. 1 RL 2000/78/EG.

Einen Monat später – im November 2010 – befasste sich der Europäische Gerichtshof in einer weiteren Entscheidung speziell mit Altersgrenzen für Universitätsprofessoren. Hier musste der Europäische Gerichtshof auf Vorlage eines bulgarischen Gerichts die Richtlinienkonformität der bulgarischen Regelung überprüfen. Diese sah vor, dass Universitätsprofessoren mit Vollendung des 68. Lebensjahres zwangsweise in den Ruhestand versetzt werden und sie ihre Tätigkeit zudem ab Vollendung des 65. Lebensjahres nur auf Grund eines befristeten und höchstens zweimal

---

[62] VG Frankfurt am Main, LKRZ 2013, S. 82 f.
[63] EuGH, NZA 2010, S. 1167 (1169).

verlängerbaren Vertrages fortsetzen können. Diese Bestimmungen wurden ebenfalls als richtlinienkonform erachtet. Die Kernbegründung des Gerichts lautete, dass mit diesen Regelungen ein legitimes Ziel der Beschäftigungs- und Arbeitsmarktpolitik verfolgt werde und sie zudem eine optimale Verteilung der Professorenstellen auf die Generationen begünstige[64].

Im Juli 2011 urteilte der Europäische Gerichtshof[65] im Hinblick auf das deutsche Beamtenrecht, das die zwangsweise Versetzung von Beamten auf Lebenszeit in den Ruhestand mit Vollendung des 65. Lebensjahres vorsieht, ebenso richtlinienkonform sei. Im entschiedenen Fall ging es um die Versetzung von zwei Staatsanwälten in den Ruhestand nach Maßgabe des hessischen Beamtenrechts.

Überblickt man die Rechtsprechung der deutschen Verwaltungsgerichtsbarkeit, so zeigt sich, dass die soeben angeführte dritte Entscheidung des Europäischen Gerichtshofs aus dem Jahr 2011 bis gegenwärtig die Leitentscheidung für Altersgrenzenregelungen im deutschen Beamtenrecht im Allgemeinen und auch für verbeamtete Professoren im Besonderen darstellt, denn auf sie rekurriert die deutsche Rechtsprechung maßgeblich.

Mustergültig zeigt dies eine Entscheidung des Bundesverwaltungsgerichts aus dem Dezember 2011. In ihr ging es um die Richtlinienkonformität der rheinland-pfälzischen Regelung zum Eintritt von Professoren in den Ruhestand. Kläger in diesem Verfahren war ein rheinland-pfälzischer Fachhochschulprofessor, dessen Antrag auf Dienstzeitverlängerung abgelehnt worden war. Das Bundesverwaltungsgericht trat in dieser Entscheidung gar nicht mehr in detaillierter Form – und schon gar nicht in hochschulspezifischer Form – in eine Prüfung ein, ob die Altersgrenzenregelung richtlinienkonform ist, sondern das Gericht führte mit knappen Worten aus, dass durch die Entscheidung des Europäischen Gerichtshofs aus dem Juli 2011 die Zulässigkeit beamtenrechtlicher Altersgrenzenregelungen grundsätzlich geklärt sei[66]. Vor der besagten Entscheidung des Europäischen Gerichtshofs aus dem Juli 2011 hatten deutsche Verwaltungsgerichte[67] sich wiederholt und zum Teil in ausgiebiger Form mit der Zulässigkeit von Altersgrenzen für Professoren auseinandergesetzt; die Zulässigkeit wurde von den Gerichten dabei jeweils bejaht. Auch die allgemeinen, d. h. nicht speziell für Professoren geltenden, landesbeamtengesetzlichen Altersgrenzen wurden in diversen Entscheidungen in den

---

[64] EuGH, NJW 2011, S. 42 (44, 46).
[65] EuGH, NVwZ 2011, S. 1249 ff.
[66] Vgl. BVerwG, NVwZ 2012, S. 1052 (1052 f.).
[67] Vgl. VGH München, Beschluss vom 9.8.2010, BeckRS 2010, 31569, Rn. 28 ff.; OVG Münster, Beschluss vom 21.7.2011, BeckRS 2011, 52898; VG Gelsenkirchen, Urteil vom 19.2.2010, BeckRS 2010, 47314.

Jahren 2013 und 2014 von der Verwaltungsgerichtsbarkeit in Bayern[68], Berlin[69], Brandenburg[70] und Hessen[71] als zulässig angesehen.

Angesichts dessen, dass die deutsche Verwaltungsgerichtsbarkeit maßgeblich auf die besagte Entscheidung des Europäischen Gerichtshofs aus dem Juli 2011 abstellt, sind die dort herausgearbeiteten Maßstäbe näher zu untersuchen. Die sehr ausführliche Entscheidung des Europäischen Gerichtshofs lässt sich wie folgt zusammenfassen[72]: Die Altersgrenzenregelung im hessischen Beamtenrecht, die vom Europäischen Gerichtshof überprüft wurde, bezwecke insbesondere die Schaffung eines günstigen Altersaufbaus, der in der gleichzeitigen Beschäftigung von jungen Berufsanfängern und von älteren, erfahreneren Beamten im fraglichen Beruf (im konkreten Fall: dem des Staatsanwalts) bestehe. Die Verpflichtung, mit Vollendung des 65. Lebensjahres in den Ruhestand zu treten, solle ein Gleichgewicht zwischen den Generationen schaffen. Mit dieser Zielsetzung seien drei andere Ziele verbunden, nämlich die wirksame Planung des Ausscheidens und von Einstellungen, die Förderung der Einstellung und Beförderung von jüngeren Beamten und die Vermeidung von Rechtsstreitigkeiten über die Fähigkeit des Beschäftigten, seinen Dienst über dieses Alter hinaus weiter auszuüben. Diese Zielsetzungen trügen zur Leistungsfähigkeit der Justizverwaltung bei, zugleich stellten sie ein legitimes Ziel der Beschäftigungs- und Arbeitsmarktpolitik dar. Bei der Festlegung der Maßnahmen zur Erreichung dieser Ziele verfüge der mitgliedsstaatliche Gesetzgeber über einen weiten Ermessensspielraum.

c) Würdigung

Die geschilderte Rechtsprechung beinhaltet für den Gesetzgeber sehr großzügige Maßstäbe für die Zulässigkeit von Altersgrenzen für den Eintritt in den Ruhestand. Dem Gesetzgeber wird vom Europäischen Gerichtshof in mehrfacher Hinsicht eine Einschätzungsprärogative eingeräumt. So sind z. B. mit dem Topos „Schaffung eines Gleichgewichts der Generationen" keine strengen Substantiierungs- und Darlegungsverpflichtungen verbunden: Es ist nicht darzutun, ob z. B. eine bestimmte Verwaltungseinheit oder eine bestimmte Fachrichtung von einer bestimmten Altersschichtung geprägt ist (z. B. ob eine signifikante Überalterung gegeben ist, so dass der Personalbestand der „Auffrischung" bedarf). Es

---

[68] BayVGH, NVwZ-RR 2014, S. 853 f.
[69] VG Berlin, Beschluss vom 1.4.2014, Az. 7 L 144.14 (juris).
[70] OVG Bln-Bbg, Beschluss vom 25.6.2014, Az. OVG 4 S 21.14 (juris).
[71] HessVGH, Beschluss vom 28.10.2013, Az. 1 B 1638/13 (juris).
[72] S. zum Folgenden EuGH, NVwZ 2011, S. 1249 (1250 ff.).

kommt ebenso nicht darauf an, ob es viel nachdrängenden Nachwuchs im jeweiligen Bereich empirisch belegbar überhaupt gibt, dem mithilfe einer Altersgrenzenregelung „Platz zu machen" ist; es genügt vielmehr – spiegelbildlich formuliert – eine planbare altersmäßige Auffrischung des Bedienstetenapparats als ein personalpolitisches *Globalziel.*

Dieser großzügigen Auslegung des Europäischen Gerichtshofs und im Zuge von ihr ebenso der deutschen Verwaltungsgerichtsbarkeit ist nicht zu widersprechen. Sowohl der Richtlinie 2000/78/EG als auch dem AGG in ihren jeweils angeführten Normen wohnt eine große Offenheit inne, die insbesondere durch unbestimmte Merkmale wie „angemessen" und „legitim" z. B. in § 10 S. 1 AGG zum Ausdruck kommt. Diese dahingehend auszulegen, dass dem mitgliedstaatlichen Gesetzgeber ein – wie es der Europäische Gerichtshof nennt – weiter Ermessensspielraum zukommt, ist zutreffend; statt Ermessensspielraum lässt sich – wie bereits gesagt – auch von einer Einschätzungsprärogative sprechen.

Speziell für das Hochschulpersonal gelten letztlich ebenso großzügige Maßstäbe für den Gesetzgeber. Dies ist darin begründet, dass die Zulässigkeitsmaßstäbe, die der Europäische Gerichtshof entwickelt hat, so weit und zugleich allgemeingültig gefasst sind, dass sie auch für den Hochschulsektor Gültigkeit haben. Wenn es grundsätzlich zutreffend ist, dass unabhängig von einer empirisch klar belegbaren Überalterung in einem bestimmten Verwaltungsbereich ein Gleichgewicht zwischen den Generationen als übergeordnete personalpolitische Zielsetzung verfolgt werden darf, so gilt dies ebenso z. B. für eine wissenschaftliche Fachrichtung an den Hochschulen. Es ist – konkret gesagt – unerheblich, ob es in einem bestimmen wissenschaftlichen Fach sehr viele Privatdozenten gibt, die eine verbeamtete Professorenstelle anstreben; ob also ein „Marktdruck" gegeben ist, für den eine Altersgrenze – bildlich gesprochen – als Entlastungsventil wirken kann oder gar muss, ist irrelevant. Es sind somit keine Besonderheiten des Hochschulsektors ersichtlich, die auf Grundlage der von der Rechtsprechung entwickelten und angewandten Maßstäbe eine andere Bewertung im Hinblick auf eine Benachteiligung wegen des Merkmals Alter gebieten. Die derzeit gültigen Altersgrenzen für den Eintritt in den Ruhestand in Deutschland sind somit auch im Hochschulbereich rechtlich zulässig.

V. Fazit

Unterzieht man das deutsche Recht einer Überprüfung, ob derzeit im Hochschulpersonalrecht ein Verstoß gegen das Verbot der Altersdiskriminierung gegeben ist, so lassen sich drei in Betracht zu ziehende Fallgruppen (Problemfelder) ausmachen. Es könnten erstens Regelungen, die eine nach dem Alter gestaffelte Besoldung vorsehen, unzulässig sein. Zweitens könnten Höchstaltersregelungen für die Einstellung unzulässig sein. Drittens könnten Altersgrenzen für den Eintritt in den Ruhestand unzulässig sein.

Auf Grundlage der Maßstäbe, die die Rechtsprechung (Europäischer Gerichtshof und nationale Verwaltungs- und Arbeitsgerichtsbarkeit) entwickelt hat und die sie bis gegenwärtig zur Anwendung bringt, gibt es derzeit in Deutschland in allen drei genannten Fallgruppen keine gesetzlichen Regelungen, die durchgreifenden Bedenken unterliegen.

Clemens Holtmann

Wissenschaftseinrichtungen und europäisches Beihilfenrecht

Für die Einladung zu Ihrer Tagung und die Gelegenheit, Ihnen den beihilfenrechtlichen Rahmen für die Förderung von Hochschulen und Wissenschaftseinrichtungen darstellen zu dürfen, danke ich Ihnen. Denn in der Tat handelt es sich dabei um ein sehr praxisrelevantes und dynamisches Handlungsfeld des europäischen Beihilfenrechts, das angesichts neuer technologischer Entwicklungen sowie der Vielfalt der Akteure in der Forschungslandschaft und der Formen ihrer Zusammenarbeit einem steten Wandel unterworfen ist. Auf die wesentlichen und in ihren praktischen Auswirkungen bedeutsamen Weiterentwicklungen des Beihilfenrechts im Bereich von Forschung, Entwicklung und Innovation (FuEuI) werde ich noch detailliert zu sprechen kommen. Zunächst aber möchte ich Ihnen einen groben Überblick über den europarechtlichen Kontext der Forschungsförderung und das allgemeine Regime der EU-Beihilfenkontrolle geben. Mein Vortrag gliedert sich daher in die folgenden 4 Blöcke:
- Europarechtlicher Kontext der Forschungsförderung
- Das Regime der EU-Beihilfenkontrolle
- Der Beihilfentatbestand im Bereich von FuEuI
- Die Vereinbarkeit von FuEuI-Beihilfen.

I. Europarechtlicher Kontext der Forschungsförderung

Die EU räumt der Förderung von FuEuI zweifelsfrei einen besonders hohen Stellenwert ein. Dies folgt aus der „Schlüsselnorm" in Art. 179 AEUV. Die übergeordneten Ziele der EU im Bereich FuEuI sind in Abs. 1 aufgeführt:

„Die Union hat zum Ziel, ihre wissenschaftlichen und technologischen Grundlagen dadurch zu stärken, dass ein europäischer Raum der Forschung geschaffen wird, in dem Freizügigkeit für Forscher herrscht und wissenschaftliche Erkenntnisse und Technologien frei ausgetauscht werden, die Entwicklung ihrer Wettbewerbsfähigkeit einschließlich der ihrer Industrie zu fördern sowie alle Forschungsmaßnahmen zu unterstützen, die aufgrund anderer Kapitel der Verträge für erforderlich gehalten werden."

WissR Beiheft 24 – S. 81–96
ISSN 0948-1478 – © Mohr Siebeck 2016

Art. 179 Abs. 2 AEUV enthält das klare Bekenntnis der EU, die Forschungseinrichtungen und Unternehmen bei der Erreichung dieser Ziele zu unterstützen:

„In diesem Sinne unterstützt sie in der gesamten Union die Unternehmen – einschließlich der kleinen und mittleren Unternehmen –, die Forschungszentren und die Hochschulen bei ihren Bemühungen auf dem Gebiet der Forschung und technologischen Entwicklung von hoher Qualität (…).“

Denkbar ist eine Unterstützung durch die Schaffung attraktiver politischer Rahmenbedingungen, aber auch mit finanziellen Mitteln. In der Strategie „Europa 2020“ hat die EU das Ziel ausgegeben, dass die FuE-Ausgaben in der EU im Jahr 2020 mindestens 3 % des europäischen Bruttoinlandsprodukts betragen sollen. Zwei Drittel dieser Ausgaben sollen nach Möglichkeit mit privaten Mitteln finanziert werden. Aber auch öffentliche Mittel sollen verstärkt zur Erreichung dieses Ziels beitragen. Zu diesem Zweck hat die EU selbst in ihrem Förderprogramm „Horizon 2020“ für die Förderperiode 2014 bis 2020 ein Fördervolumen in Höhe von 77 Mrd. Euro bereitgestellt. Die EU-Förderprogramme sind aber lediglich als Ergänzung, nicht als Ersatz für nationale Fördermittel gedacht. Soweit nationale Fördermittel zum Einsatz kommen, müssen sie sich am Maßstab des europäischen Beihilfenrechts messen lassen.

Dies ist keine neue Erkenntnis. Bereits seit den 80er Jahren gibt es spezifische beihilfenrechtliche Vorschriften der Kommission für den FuEuI-Bereich. Allerdings befanden sich öffentliche Hochschul- oder Forschungseinrichtungen im Hinblick auf das Beihilfenrecht bis zum Jahr 2006 in einer äußerst komfortablen Situation. Denn der bis dahin geltende, frühere Gemeinschaftsrahmen für FuEuI-Beihilfen nahm sie weitgehend vom Anwendungsbereich des Beihilfenrechts aus:

„Die staatliche Finanzierung von FuE-Tätigkeiten durch öffentliche, nicht gewinnorientierte Hochschul- oder Forschungseinrichtungen fällt (…) nicht in den Anwendungsbereich [des Beihilfenrechts].“[1]

Diese Bereichsausnahme erfolgte jedenfalls ohne eine ausdrückliche Differenzierung zwischen nichtwirtschaftlichen und etwaigen wirtschaftlichen Tätigkeitsfeldern der öffentlichen Hochschul- und Forschungseinrichtungen. Dies hat sich mit Inkrafttreten des Gemeinschaftsrahmens für staatliche Beihilfen für FuEuI in der Förderperiode 2007 bis 2014[2] maßgeblich geändert. Seither ist die pauschale Privilegierung von Hochschulen und

---

[1] EU-Abl. C 45/5 vom 17.2.1996, Gemeinschaftsrahmen für staatliche Forschungs- und Entwicklungsbeihilfen (Stand 1996), vgl. dort Textziffer 2.4.
[2] EU-Abl. C 323/1 vom 30.12.2006, Gemeinschaftsrahmen für staatliche Forschungs- und Entwicklungsbeihilfen (Stand 2007–2014).

Forschungseinrichtungen entfallen, sodass es einer Abgrenzung ihrer wirtschaftlichen von ihren nichtwirtschaftlichen Tätigkeiten bedarf. Die staatlichen Stellen müssen daher genau im Blick haben, welchem dieser beiden Bereiche die von ihnen gewährte Förderung zugutekommt.

Dass diese Abgrenzung in der Praxis zu großen Schwierigkeiten führt, zeigte sich im Rahmen des sog. „mid-term-review" des Gemeinschaftsrahmens 2007 bis 2014, den die Kommission im Jahr 2011 durchführte.[3] Im Rahmen dieses mid-term-review, der auch eine öffentliche Konsultation umfasste, stellte sich die klare Unterscheidung zwischen wirtschaftlichen und nichtwirtschaftlichen Tätigkeiten im Bereich von FuEuI als eines der Hauptprobleme bei der Anwendung des Gemeinschaftsrahmens heraus. Viele Betroffene bemängelten zudem, dass die Kriterien für Kooperationen zwischen öffentlichen Forschungseinrichtungen und Unternehmen nicht selbsterklärend seien.

Unter Berücksichtigung der Erkenntnisse aus dem mid-term-review hat die Kommission einen neuen „Unionsrahmen für staatliche Beihilfen zur Förderung von Forschung, Entwicklung und Innovation" angenommen, der am 1. Juli 2014 in Kraft getreten ist.[4] Dieser macht den Rechtsanwendern das Leben in vielerlei Hinsicht leichter. So enthält er klarere Definitionen und Beispiele für die Unterscheidung zwischen wirtschaftlichen und nichtwirtschaftlichen Tätigkeiten. Durch die Zulassung höherer Förderintensitäten (sog. Beihilfehöchstintensitäten) verschafft er den Beihilfengebern und -empfängern zudem größere Handlungsspielräume. Dies gilt auch für den Bereich von marktnahen Aktivitäten im Bereich der Innovation.

Bevor ich auf die Details der spezifischen beihilfenrechtlichen Vorschriften für FuEuI eingehe, möchte ich Ihnen einen groben Überblick über das Regime der EU-Beihilfenkontrolle geben.

II. Das Regime der EU-Beihilfenkontrolle

Das europäische Primärrecht statuiert in Art. 107 Abs. 1 AEUV ein grundsätzliches Verbot staatlicher Beihilfen. Art. 107 AEUV sieht in Absatz 2 Legalausnahmen und in Absatz 3 in das Ermessen der Kommission gestellte Ausnahmen von diesem Grundsatz vor. Zur Auslegung und

---

[3] Commission Staff Working Paper „Mid-Termin Review of the R&D&I-Framework" vom 10.8.2011, abrufbar unter http://ec.europa.eu/competition/state_aid/legislation/rdi_mid_term_review_en.pdf.

[4] EU-Abl. C 198/1 vom 27.6.2014, Mitteilung der Kommission „Unionsrahmen für staatliche Beihilfen zur Förderung von Forschung, Entwicklung und Innovation".

Anwendung des Beihilfenverbots und der Ausnahmevorschriften in den Absätzen 2 und 3 hat die Kommission eine Reihe von Mitteilungen und Leitlinien angenommen, die sie bei der Ausübung ihres tatbestandlichen Beurteilungsspielraums und ihres Ermessens binden, vergleichbar den Verwaltungsvorschriften nach deutschem Recht. Besonders relevant für die beihilfenrechtliche Prüfung von FuEuI-Beihilfen ist der bereits erwähnte „Unionsrahmen für staatliche Beihilfen zur Förderung von Forschung, Entwicklung und Innovation".[5]

Gemäß Art. 108 Abs. 3 S. 1 AEUV sind staatliche Beihilfen vor ihrer Durchführung durch den jeweiligen Mitgliedstaat grundsätzlich bei der Kommission anzumelden. Diese Notifizierungspflicht besteht ausnahmsweise dann nicht, wenn die Beihilfe die Voraussetzungen der Allgemeinen Gruppenfreistellungsverordnung für staatliche Beihilfen[6] (AGVO) oder anderer Freistellungsvorschriften erfüllt. Darauf werde ich später noch gesondert eingehen.

Bis zum Abschluss des Prüfverfahrens durch die Kommission unterliegt eine anmeldepflichtige Beihilfe dem sogenannten Durchführungsverbot gemäß Art. 108 Abs. 3 S. 3 AEUV. Der Mitgliedstaat darf die Beihilfe erst gewähren, wenn die Kommission entweder festgestellt hat, dass es sich schon tatbestandlich nicht um eine Beihilfe handelt oder die Beihilfe ausnahmsweise mit dem Binnenmarkt vereinbar ist. Aus diesem Regel-Ausnahme-Verhältnis zwischen dem in Art. 107 Abs. 1 geregelten grundsätzlichen Beihilfenverbot, von dem Ausnahmen nur unter den Voraussetzungen von Art. 107 Abs. 2 und Abs. 3 AEUV zulässig sind, folgt eine beihilfenrechtliche Prüfung in zwei Schritten. In einem ersten Schritt ist zu prüfen, ob es sich bei der jeweiligen staatlichen Maßnahme tatbestandlich überhaupt um eine Beihilfe handelt. Denn nur dann kann das Beihilfenverbot zur Anwendung kommen. Ergibt die Prüfung, dass eine Beihilfe vorliegt, untersucht die Kommission im nächsten Schritt, ob die Beihilfe ausnahmsweise unter den Voraussetzungen von Art. 107 Abs. 2 oder Abs. 3 AEUV mit dem Binnenmarkt vereinbar ist.

III. Der Beihilfentatbestand im Bereich von FuEuI

Die entscheidende Frage bei der beihilfenrechtlichen Bewertung von Fördermaßnahmen im Bereich von FuEuI ist immer zunächst, ob es sich bei der gewährten Förderung tatbestandlich überhaupt um eine Beihilfe

---

[5] Vgl. oben Fußn. 4.
[6] Verordnung (EU) Nr. 651/2014 der Kommission, EU-Abl. vom 26. Juni 2014 L 187/1.

handelt. Denn nur dann bedarf es im zweiten Schritt der Prüfung, ob die Maßnahme entgegen dem grundsätzlichen Beihilfenverbot ausnahmsweise mit dem Binnenmarkt vereinbar ist.

Die Tatbestandsmerkmale des Beihilfenbegriffs ergeben sich aus der primärrechtlichen Regelung des grundsätzlichen Beihilfenverbots in Art. 107 Abs. 1 AEUV:

„Soweit in den Verträgen nicht etwas anderes bestimmt ist, sind staatliche oder aus staatlichen Mitteln gewährte Beihilfen gleich welcher Art, die durch die Begünstigung bestimmter Unternehmen oder Produktionszweige den Wettbewerb verfälschen oder zu verfälschen drohen, mit dem Binnenmarkt unvereinbar, soweit sie den Handel zwischen den Mitgliedstaaten beeinträchtigen."

Danach erfüllt eine Fördermaßnahme den Beihilfentatbestand nur dann, wenn sie die folgenden Merkmale aufweist:
– eine Begünstigung
– die Unternehmenseigenschaft des Begünstigten
– die Gewährung der Förderung aus staatlichen oder dem Staat zurechenbaren Mitteln
– eine drohende Wettbewerbsverfälschung
– eine Beeinträchtigung des zwischenstaatlichen Handels in der EU.

Da die letzten beiden Tatbestandsmerkmale von der Kommission in ihrer Entscheidungspraxis i. d. R. ohne nähere Prüfung bejaht werden, beschränken sich die folgenden Ausführungen auf die ersten drei Tatbestandsmerkmale unter Berücksichtigung der Besonderheiten im Bereich von FuEuI.

1. Begünstigung

Unter einer beihilfenrechtlich relevanten Begünstigung ist jeder geldwerte Vorteil zu verstehen, für den der Zuwendungsempfänger keine angemessene Gegenleistung erbringt. Im Bereich von FuEuI erfolgt die Gewährung von Fördermitteln häufig über Kettenkonstruktionen. So erhalten staatliche Hochschulen und Forschungseinrichtungen regelmäßig Zuwendungen von der Bundes- oder Landesebene. Denkbar ist aber, dass diese Zuwendungen sich nicht ausschließlich innerhalb der Hochschul- oder Forschungseinrichtung (unmittelbare Beihilfe), sondern auch darüber hinaus (mittelbare Beihilfe) begünstigend auswirken. Letzteres kann insbesondere bei der Auftragsforschung oder bei Kooperationsprojekten der Fall sein, die im Auftrag bzw. gemeinsam mit kommerziellen Unternehmen durchgeführt werden.

Allerdings ist eine mittelbare Beihilfe zugunsten des kommerziellen Auftraggebers einer Forschungseinrichtung ausgeschlossen, wenn der

Auftraggeber letzterer ein marktübliches Entgelt für die durchzuführenden Dienstleistungen zahlt.[7]

Auch für den Bereich der Forschungskooperationen enthält der Unionsrahmen für FuEuI-Beihilfen einige Kriterien, bei deren alternativem Vorliegen keine mittelbare Beihilfe auf der Ebene der beteiligten kommerziellen Unternehmen vorliegt.[8] Davon ist auszugehen, wenn

– die beteiligten kommerziellen Unternehmen sämtliche Kosten des Projekts tragen,
 oder
– etwaig im Rahmen des Projektes begründete Rechte des geistigen Eigentums ausschließlich den nicht-kommerziellen Forschungseinrichtungen zugeordnet werden,[9]
 oder
– die beteiligten Unternehmen den nicht-kommerziellen Forschungseinrichtungen ein angemessenes Entgelt für die durch sie zu erbringenden Dienstleistungen zahlen.[10]

Von der Zahlung eines angemessenen Entgeltes ist i. d. R. dann auszugehen, wenn die privaten Kooperationspartner über ein offenes Bieterverfahren ausgewählt wurden. Die Angemessenheit des Entgeltes kann aber auch auf andere Weise, etwa durch ein Sachverständigengutachten, nachgewiesen werden.[11]

2. Unternehmenseigenschaft des Begünstigten

Wenn es sich bei dem Begünstigten um eine staatliche Hochschule oder eine öffentliche Forschungseinrichtung handelt, liegt der Schwerpunkt der tatbestandlichen Prüfung i. d. R. auf der Frage, ob die entsprechende Einrichtung ein Unternehmen im Sinne des Beihilfenrechts ist. Der

---

[7] Vgl. u. a. Kommission, Beschluss vom 22.10.2013, Staatl. Beihilfe SA.37274, Bayrisches Programm zur Förderung von Forschungs- und Entwicklungsvorhaben auf dem Gebiet der Bio- und Gentechnologie (vgl. auch früherer Beschluss vom 12.12.2007, staatl. Beihilfe N 528/2007).

[8] Vgl. dort Abschnitt 2.2.2. „Zusammenarbeit mit Unternehmen".

[9] Vgl. u. a. Kommission, Beschluss vom 22.10.2013, Staatl. Beihilfe SA.37274, Bayrisches Programm zur Förderung von Forschungs- und Entwicklungsvorhaben auf dem Gebiet der Bio- und Gentechnologie (vgl. auch früherer Beschluss vom 12.12.2007, staatl. Beihilfe N 528/2007).

[10] Vgl. dazu u. a. Kommission, Beschluss vom 4.5.2009, Staatl. Beihilfe N 95/2009, Änderung des Forschungsprogramms „Schifffahrt und Meerestechnik für das 21. Jahrhundert" (vgl. auch früherer Beschluss vom 28.11.2000, Staatl. Beihilfe N 156/2000).

[11] Vgl. dazu u. a. Kommission, Beschluss vom 28.10.2009, Staatl. Beihilfe NN 47/2009, Fraunhofer Institut für Mikroelektronische Schaltungen und Systeme Duisburg.

EuGH legt dabei nach ständiger Rechtsprechung einen rein funktionalen Unternehmensbegriff zugrunde. Ein Unternehmen ist danach „jede eine wirtschaftliche Tätigkeit ausübende Einheit, unabhängig von ihrer Rechtsform und der Art ihrer Finanzierung."[12] Denkbar ist daher, dass auch gemeinnützige Vereine oder eingetragene Genossenschaften den Unternehmensbegriff erfüllen. Darüber hinaus setzt die Unternehmenseigenschaft keine rechtliche und finanzielle Unabhängigkeit von staatlichen Stellen voraus. Denn das Beihilfenrecht kennt auch die Konstellation des in den Behördenapparat integrierten sogenannten staatlichen Eigenbetriebs.

Für die Feststellung der Unternehmenseigenschaft allein ausschlaggebend ist der Umstand, ob die begünstigte Einheit eine wirtschaftliche Tätigkeit ausübt. Wirtschaftliche Tätigkeit ist nach der Rechtsprechung des EuGH „jede Tätigkeit, die darin besteht, Güter oder Dienstleistungen auf einem bestimmten Markt anzubieten."[13] Eine Gewinnerzielungsabsicht ist dafür nicht zwingend erforderlich, hat aber Indizwirkung für die Ausübung einer wirtschaftlichen Tätigkeit.

Wie im einführenden Teil bereits ausgeführt, hat sich herausgestellt, dass die Abgrenzung wirtschaftlicher von nichtwirtschaftlichen Tätigkeiten in der Praxis häufig große Probleme bereitet. Aus diesem Grunde bietet der im Juli 2014 in Kraft getretene, neue Unionsrahmen eine Reihe von Hilfestellungen. Insbesondere enthält er eine Auflistung sog. „primärer Tätigkeiten" von Hochschulen und öffentlichen Forschungseinrichtungen, die von der Kommission als nichtwirtschaftlich angesehen werden.[14] Dabei handelt es sich um

– die Ausbildung von Humanressourcen innerhalb des öffentlichen Bildungswesens,
– die unabhängige Forschung und Entwicklung,
– die öffentliche, unentgeltliche Verbreitung von Forschungsergebnissen, z. B. in der Lehre und über frei zugängliche Datenbanken sowie
– den Wissenstransfer, wenn alle Einnahmen daraus wieder in die o. g. „primären Tätigkeiten" der Forschungseinrichtungen reinvestiert werden.

---

[12] Vgl. u. a. EuGH, Urteil vom 23. April 1991, Rs. C-41/90, Höfner und Elser, Slg. 1991, I-1979, Rn. 21.

[13] Vgl. EuGH, Urteil vom 16. Juni 1987, Kommission/Italien, Rs. C-118/85, Slg. 1987, 2599, Rn. 7; Urteil vom 18. Juni 1998, Kommission/Italien, Rs. C-35/96, Slg. 1998, I-3851, Rn. 36; Urteil vom 12. September 2000, Pavel Pavlov u. a./Stichting Pensioenfonds Medische Specialisten, verb. Rs. C-180/98 bis C-184/98, Slg. 2000, I-6451, Rn. 75.

[14] Vgl. oben Fußn. 4, dort Textziffer 19; vgl. auch Kommission, Beschluss vom 30.1.2008, staatl. Beihilfe N 365/2007, Fraunhofer Center for Silicon Photovoltaics, Halle/Saale.

Demgegenüber wird bei folgenden Tätigkeiten i. d. R. davon auszugehen sein, dass sie einen dem Beihilfenrecht unterliegenden wirtschaftlichen Charakter aufweisen:
– Fort- und Weiterbildungsangebote, wenn diese in Konkurrenz mit privaten Anbietern erbracht werden,
– die Vermietung von Forschungsinfrastruktur,
– die Auftragsforschung für gewerbliche Unternehmen sowie sonstige gegen Entgelt erbrachte Dienstleistungen für gewerbliche Unternehmen.

Im Hochschulbereich bieten sich folgende Kontrollüberlegungen zur Einstufung der geförderten Tätigkeit als wirtschaftlicher oder nichtwirtschaftlicher Art an:
– Deckt die geförderte Dienstleistung nur den internen Bedarf der Hochschule?
– Werden die Leistungen nur für die Mitglieder der Hochschule im Sinne von § 36 Abs. 1 HRG erbracht?

Können diese beiden Fragen mit einem „Ja" beantwortet werden, liegt eine nichtwirtschaftliche Tätigkeit vor mit der Folge, dass deren Förderung nicht dem EU-Beihilfenregime unterfällt. Andernfalls ist folgende Zusatzüberlegung anzustellen:
– Gibt es für die angebotene Dienstleistung einen Markt? Wird die Dienstleistung in Konkurrenz zu privaten Anbietern angeboten?

Ist Letzteres der Fall, handelt es sich bei der jeweiligen Dienstleistung um eine wirtschaftliche Tätigkeit. Da die Beurteilung, ob es für eine Dienstleistung einen Markt gibt, nur unter Berücksichtigung der Besonderheiten des konkreten Einzelfalls erfolgen kann, ist die Kommission diesbezüglich auf aussagekräftige Informationen des jeweiligen Mitgliedstaats angewiesen.

Häufig ergibt eine Prüfung anhand der vorstehenden Kriterien, dass öffentliche Hochschulen und Forschungseinrichtungen sowohl wirtschaftliche als auch nichtwirtschaftliche Tätigkeiten ausüben. Für diesen Fall stellt der FuEuI-Unionsrahmen klar, dass die öffentliche Förderung nichtwirtschaftlicher Tätigkeiten nur dann beihilfenrechtlich unbeachtlich ist, wenn die wirtschaftlichen und die nichtwirtschaftlichen Tätigkeiten und ihre Kosten, Finanzierung und Erlöse über eine Trennungsrechnung klar voneinander abgegrenzt werden können. Andernfalls besteht die Gefahr einer Quersubventionierung der wirtschaftlichen Aktivititäten.[15]

Umgekehrt ist die Wahrnehmung wirtschaftlicher Tätigkeiten durch Hochschulen und öffentliche Forschungseinrichtungen dann unschäd-

---

[15] Vgl. oben Fußn. 4, dort Textziffer 18.

lich, wenn es sich dabei um reine Nebentätigkeiten handelt. Davon geht die Kommission aus, wenn die für die wirtschaftliche Tätigkeit jährlich genutzte Kapazität nicht mehr als 20 % der jährlichen Gesamtkapazität der betreffenden Einrichtung bzw. Infrastruktur beträgt.[16]

3. Gewährung aus staatlichen oder dem Staat zurechenbaren Mitteln

Die Erfüllung des Beihilfentatbestands setzt ferner voraus, dass die einem „Unternehmen" gewährte Begünstigung mit staatlichen oder dem Staat zurechenbaren Mitteln gewährt wird. Nicht erforderlich ist, dass die Mittel unmittelbar aus einem staatlichen Haushalt gewährt werden. Entscheidend ist, dass die Bewilligung der Förderung auf die Willensbildung staatlicher Entscheidungsträger zurückgeführt werden kann. Daher können auch Vorteilsgewährungen durch öffentliche Unternehmen, selbst wenn diese privatrechtlich organisiert sind, als staatliche Beihilfen anzusehen sein.

Hinsichtlich der Frage, ob aus dem EU-Haushalt gewährte Fördermittel eine staatliche Beihilfe darstellen können, ist zu differenzieren. Bei von der EU selbst zentral verwalteten Programmen, wie z. B. „Horizon 2020" ist dies nicht der Fall. Denn hier haben mitgliedstaatliche Stellen keinen maßgeblichen Einfluss auf die Mittelgewährung. Allerdings ist zu berücksichtigen, dass von der EU verwaltete Förderprogramme nicht immer eine Vollkostenfinanzierung der geförderten Projekte vorsehen. Soweit eine Kofinanzierung durch nationale, regionale oder lokale Stellen erfolgt, bedarf es insoweit einer beihilfenrechtlichen Würdigung.

Aus den europäischen Strukturfonds (z. B. Europäischer Fonds für die regionale Entwicklung „EFRE") geht die Kommission immer davon aus, dass es sich um staatliche Mittel im Sinne des Beihilfenrechts handelt. Denn hier erfolgt die Verwaltung und Vergabe der Mittel durch innerstaatliche Stellen.

IV. Die Vereinbarkeitsprüfung von FuEuI-Beihilfen

Die für die Vereinbarkeitsprüfung von FuEuI-Beihilfen maßgeblichen Vorschriften unterscheiden je nach Gegenstand der Förderung folgende Beihilfekategorien:
- Beihilfen für FuEuI-Vorhaben
- Beihilfen für Durchführbarkeitsstudien
- Beihilfen für den Aus- oder Neubau von Forschungsinfrastruktur

---

[16] Vgl. oben Fußn. 4. dort Textziffer 20.

– Innovationsbeihilfen für kleine und mittlere Unternehmen (KMU)
– Beihilfen für Prozess- und Organisationsinnovationen
– Beihilfen für Innovationscluster.

Innerhalb der Kategorie „Beihilfen für FuEuI-Vorhaben" wird weiter differenziert zwischen Fördermaßnahmen für die Grundlagenforschung, für die industrielle Forschung und für die experimentelle Entwicklung.

Es wurde bereits dargestellt, dass tatbestandliche Beihilfen zur Feststellung ihrer Vereinbarkeit mit dem Binnenmarkt grundsätzlich bei der Kommission anzumelden sind. Nur ausnahmsweise besteht diese Notifizierungspflicht nicht, wenn die Beihilfe die Voraussetzungen der Allgemeinen Gruppenfreistellungsverordnung für staatliche Beihilfen (AGVO)[17] erfüllt.

Um den mit einem Notifizierungsverfahren verbundenen Aufwand zu vermeiden, sind die Förderstellen erfahrungsgemäß an einer Ausgestaltung ihrer Förderpraxis interessiert, die den Anforderungen der AGVO genügt. Aus diesem Grunde werden nachfolgend zunächst die für FuEuI-Beihilfen relevanten Eckpunkte für eine Vereinbarkeit ohne Anmeldungserfordernis dargestellt. Daran schließt sich eine Beschreibung des Prüfungsmaßstabs an, den die Kommission im Rahmen eines andernfalls erforderlichen Notifizierungsverfahrens zugrunde legt.

1. Vereinbarkeit ohne Anmeldungserfordernis

Wesentliche Rechtsgrundlage für die Vereinbarkeit von Beihilfen ohne Anmeldungserfordernis ist wie bereits erwähnt die AGVO. Mit der AGVO stellt die Kommission bestimmte Fallgruppen von Beihilfen von der Pflicht zur vorherigen Notifizierung frei, zu denen sie bereits über eine umfangreiche Entscheidungspraxis verfügt. Auf der Grundlage der bestehenden Entscheidungspraxis hat die Kommission in der AGVO Kriterien festgelegt, bei deren Erfüllung davon auszugehen ist, dass die positiven Auswirkungen der Beihilfe etwaige negative Effekte für den Binnenmarkt überwiegen. Insbesondere knüpft die AGVO die Freistellung der einzelnen Beihilfekategorien an die Einhaltung bestimmter Schwellenwerte.

Zum 1. Juli 2014 ist eine neue AGVO in Kraft getreten, die die Handlungsspielräume der Förderstellen deutlich erweitert hat. Insbesondere wurden die Schwellenwerte gegenüber der vorherigen Regelung deutlich angehoben, teilweise sogar verdoppelt. Grundsätzlich ist festzuhalten, dass die in der AGVO festgelegten Schwellenwerte höher sind, je weiter die geförderte FuEuI-Tätigkeit von einer Kommerzialisierung, d. h. der

---

[17] Vgl. oben Fußn. 6.

Markteinführung eines Produktes, entfernt ist. Die in Art. 4 der neuen AGVO festgelegten Schwellenwerte spiegeln dies eindrucksvoll wider. Nach dieser Vorschrift dürfen die Beihilfen für Vorhaben der einzelnen Kategorien folgende Schwellenwerte nicht überschreiten:

- Grundlagenforschung: 40 Mio Euro
- Industrielle Forschung: 20 Mio Euro
- Experimentelle Entwicklung: 15 Mio Euro
- Aus- oder Neubau von Forschungsinfrastruktur: 20 Mio Euro
- Durchführbarkeitsstudien: 7,5 Mio Euro
- Prozess- und Organisationsinnovationen: 7,5 Mio Euro
- Innovationscluster: 7,5 Mio Euro
- Innovationsbeihilfen für KMU: 5 Mio Euro

Hält eine Beihilfemaßnahme diese Schwellenwerte und die weiteren Voraussetzungen der AGVO ein, bedarf es keiner gesonderten Vereinbarkeitsentscheidung der Kommission. Vielmehr ist es ausreichend, dass die Kommission nachträglich mittels eines bloßen Formblattes von dem jeweiligen Mitgliedstaat über die Gewährung der Beihilfe unterrichtet wird.

2. Die Vereinbarkeit mit Anmeldungserfordernis

Wenn eine Freistellung nach Maßgabe der AGVO ausscheidet, bedarf es der Anmeldung der jeweiligen Beihilfe bei der Kommission, damit diese die Vereinbarkeit der Beihilfe mit dem Binnenmarkt prüfen kann. Prüfungsmaßstab für die Vereinbarkeitsprüfung von FuEuI-Beihilfen ist im Regelfall der bereits erwähnte „Unionsrahmen für staatliche Beihilfen zur Förderung von Forschung, Entwicklung und Innovation" (FuEuI-Rahmen). Die Prüfung der Vereinbarkeit einer Beihilfe nach Maßgabe des FuEuI-Rahmens erfolgt nach folgendem Schema:

- Beitrag der Beihilfe zu einem Ziel von gemeinsamem Interesse
- Vorliegen eines Marktversagens
- Erforderlichkeit der Beihilfe
- Anreizeffekt der Beihilfe
- Angemessenheit der Beihilfe
- Allgemeine Interessenabwägung

a) Beitrag zu einem Ziel von gemeinsamem Interesse

Dieses Prüfungskriterium stellt in der Praxis keine Hürde dar. Denn aus verschiedenen Vorschriften des EU-Primärrechts sowie aus politischen Strategien und Förderprogrammen der EU folgt, dass Forschung, Entwicklung und Innovation als Ziele von übergeordnetem Interesse anerkannt sind. Dies folgt schon aus dem bereits zitierten Art. 179 AEUV, der ausdrücklich feststellt, dass die Stärkung der wissenschaftlichen und technologischen Grundlagen sowie die Schaffung eines europäischen Raums der Forschung ein anerkanntes Ziel der EU ist. Auch die grundlegende EU-Wachstumsstrategie „Europa 2020" betont den unverzichtbaren Beitrag von FuEuI zu intelligentem, nachhaltigem und integrativem Wachstum. Im Übrigen steht der Beitrag einer Beihilfe zu einem Ziel von gemeinsamem Interesse immer dann außer Frage, wenn das geförderte Vorhaben gleichzeitig in den Genuss von europäischen Fördermitteln etwa aus dem EU-Programm „Horizon 2020" kommt.

b) Vorliegen eines Marktversagens

Die Vereinbarkeit einer FuEuI-Beihilfe setzt ferner voraus, dass der Markt das geförderte Vorhaben ohne staatliche Hilfe nicht aus eigener Kraft umsetzen würde. Dies ist etwa anerkannt für solche Vorhaben, die zwar über sog. „positive externe Effekte" verfügen, also für die Gesellschaft nützlich sind, deren Verwirklichung für ein Privatunternehmen aus betriebswirtschaftlicher Sicht aber nicht rentabel wäre. Dies trifft häufig auf Vorhaben der Grundlagenforschung zu.

Als weitere Fallgruppe eines Marktversagens sind sog. „asymmetrische Informationslagen" anerkannt. Eine asymmetrische Informationslage ist dann gegeben, wenn die Privatwirtschaft die Sinnhaftigkeit eines Vorhabens nicht abschließend einschätzen kann. Demgegenüber verfügen Forschungseinrichtungen zwar über die zur Einschätzung des Projekts erforderliche Expertise, nicht aber über den zur Umsetzung des Projekts erforderlichen Zugang zu Fremdfinanzierung.

Darüber hinaus kann ein Marktversagen aus dem Erfordernis der Koordinierung einer Vielzahl erforderlicher Kooperationspartner resultieren. Der damit verbundene beträchtliche Kosten- und Zeitaufwand kann derart abschreckend auf die Beteiligten wirken, dass das Projekt ohne die staatliche Förderung gar nicht erst zustande käme.

c) Erforderlichkeit der Beihilfe

Im Rahmen der Erforderlichkeitsprüfung untersucht die Kommission die konkrete Ausgestaltung der Beihilfemaßnahme dahingehend, ob keine anderen, den Wettbewerb weniger stark beeinflussenden Förderinstrumente verfügbar sind. Dies wäre etwa der Fall, wenn statt eines Direktzuschusses die Gewährung eines zinsgünstigen Kredites oder die Übernahme einer Garantie für die Erreichung des mit der Beihilfe verfolgten Ziels ausreichend wäre.

Bei Beihilfen für Projekte, die gleichzeitig auch aus EU-Förderprogrammen wie „Horizon 2020" kofinanziert werden, geht die Kommission regelhaft von der Erforderlichkeit der Beihilfemaßnahme aus.[18]

d) Anreizeffekt der Beihilfe

FuEuI-Beihilfen sind nur dann mit dem Binnenmarkt vereinbar, wenn von ihnen ein Anreizeffelt ausgeht. Dafür bedarf es des Nachweises, dass die Beihilfegewährung den Beihilfenempfänger zur Aufnahme zusätzlicher FuEuI-Tätigkeiten veranlasst, die er ohne die Beihilfe nicht oder nur in geringerem Umfang durchgeführt hätte. Das Kriterium des Anreizeffektes dient daher dem Ausschluss von Mitnahmeeffekten für die Durchführung ohnehin geplanter Vorhaben. Dementsprechend ist ein Anreizeffekt immer dann ausgeschlossen, wenn der Beihilfenempfänger bereits vor der Stellung des Förderantrags mit der Verwirklichung des Projekts begonnen hat.

In allen anderen Fällen bedarf es der Feststellung des Anreizeffektes im Rahmen einer sog. „kontrafaktischen Analyse". Im Rahmen dieser Analyse muss die Kommission zu der Schlussfolgerung gelangen, dass der Beihilfenempfänger das Projekt ohne die staatliche Förderung nicht oder nicht in demselben Umfang in Angriff genommen hätte. Dabei geht von folgenden Umständen eine Indizwirkung für das Vorliegen eines Anreizeffektes aus:

- Das Vorhaben ist zwar von erheblichem Nutzen für die Gesellschaft, ist für das durchführende Unternehmen selbst aber wirtschaftlich unrentabel.
- Zur Verwirklichung des Vorhabens bedarf es beträchtlicher Anfangsinvestitionen, während mit Zahlungsrückflüssen allenfalls in ferner Zukunft zu rechnen ist. Es ist daher nicht absehbar, ob bzw. wann die Investitionen sich auszahlen werden.
- Der Projektverlauf ist fachlich nicht berechenbar und daher mit einem hohen Risiko für die Projektträger verbunden.

e) Angemessenheit der Beihilfe

Gegenstand der Angemessenheitsprüfung ist die Frage, ob die Höhe der Beihilfe auf das für die Durchführung der geförderten Tätigkeit erforderliche Minimum begrenzt ist. Dabei gilt der Grundsatz, dass die Förderquote (sog. Beihilfenintensität) höher ausfallen darf, je marktferner die geförderte Tätigkeit ist. Denn je weiter die Tätigkeit von der Markteinführung eines

---

[18] Vgl. oben Fußn. 4, dort Textziffer 59.

Produktes entfernt ist, umso unsicherer sind die Aussichten auf eine Kommerzialisierung und somit eine Amortisierung der für die Durchführung des Forschungsvorhabens getätigten Aufwendungen. Daraus folgt, dass die zulässigen Beihilfenhöchstintensität in der Grundlagenforschung am höchsten sind, während sie im Bereich der Innovation deutlich niedriger liegen. Neben der Marktnähe der geförderten Tätigkeit ist die Größe des begünstigten Unternehmens ein weiteres maßgebliches Kriterium für die zulässige Höhe der Förderung. Auf Basis dieser beiden Kriterien geht der FuEuI-Rahmen von folgenden Regel-Beihilfehöchstintensitäten aus:

Beihilfekategorie	Kleine Unternehmen	Mittlere Unternehmen	Große Unternehmen
FuE-Vorhaben:			
Grundlagenforschung	100 %	100 %	100 %
Industrielle Forschung	70 %	60 %	50 %
Experimentelle Entwicklung	45 %	35 %	25 %
Durchführbarkeitsstudien	70 %	60 %	50 %
Forschungsinfrastrukturen	50 %	50 %	50 %
Innovationsbeihilfen für KMU	50 %	50 %	–
Prozess- und Organisations-innovationen	50 %	50 %	15 %
Innovationscluster:			
Investitionsbeihilfen	mind. 50 %	mind. 50 %	mind. 50 %
Betriebsbeihilfen	50 %	50 %	50 %

Abweichend von diesen in der Tabelle aufgeführten Regel-Beihilfehöchstintensitäten lässt der FuEuI-Rahmen ausnahmsweise höhere Förderquoten zu. Dies ist etwa der Fall, wenn dem Beihilfengeber der Nachweis gelingt, dass die Beihilfe trotz Überschreitens der oben dargestellten Quoten auf das zur Verwirklichung des jeweiligen Projekts erforderliche Mindestmaß begrenzt ist.[19] Davon geht die Kommission insbesondere bei grenzüberschreitenden Projekten oder bei Kooperationen großer Unternehmen aus, die ein KMU oder eine Forschungseinrichtung einbinden.[20]

Darüber hinaus lässt die sog. Entsprechungsklausel in Textziffer 92 des FuEuI-Rahmens („matching-clause") über die in der Tabelle dargestellten Werte hinaus gehende Förderquoten zu, wenn dem Beihilfengegner der

---

[19] Vgl. oben Fußn. 4, dort Textziffer 89.
[20] Vgl. oben Fußn. 4, dort Anhang II.

Nachweis gelingt, dass Wettbewerber außerhalb der EU in den vergangenen drei Jahren für vergleichbare Vorhaben Beihilfen in entsprechender Höhe erhalten haben oder künftig erhalten werden. Die Entsprechungsklausel des FuEuI-Rahmens ist ein Unikum im Rahmen des Beihilfenrechts. Die übrigen beihilfenrechtlichen Regelungsrahmen sehen keine entsprechende Vorschrift vor. Dies deutet darauf hin, dass die Kommission im Bereich FuEuI von einem besonders harten globalen Subventionswettlauf ausgeht. Bestrebungen der Mitgliedstaaten, die Regelung auch in andere beihilfenrechtliche Rechtsrahmen zu überführen, hat die Kommission bislang hartnäckig zurückgewiesen.

Im Übrigen ist festzustellen, dass die Entsprechungsklausel sich in der Praxis bislang nicht ausgewirkt hat. Es ist kein einziger Fall bekannt, in dem die Kommission auf ihrer Grundlage über die üblichen Beihilfehöchstintensitäten hinausgehende Förderquoten zugelassen hat. Dies dürfte im Wesentlichen darauf zurückzuführen sein, dass die Nachweisführung über in Drittstaaten gewährte Subventionen für vergleichbare Projekte äußerst schwierig ist. Denn weder der Drittstaat noch der dortige Subventionsempfänger hat ein Interesse daran, Informationen über gewährte Fördermaßnahmen offenzulegen.

f) Allgemeine Interessenabwägung

Abgerundet wird die Vereinbarkeitsprüfung der Kommission durch eine allgemeine Interessenabwägung. Die Kommission genehmigt eine FuEuI-Beihilfe nur, wenn deren positive Auswirkungen etwaige negative Folgen für den Wettbewerb innerhalb der EU aufwiegen. Dies ist eine Frage des Einzelfalls.

Ein Ausfall der Interessenabwägung zugunsten der Beihilfe ist aber jedenfalls dann ausgeschlossen, wenn sie zu einem „crowding-out" führt, d. h. wenn ein Wettbewerber des Beihilfenempfängers infolge der Beihilfengewährung von bis dahin fest eingeplanten Investitionen Abstand nimmt.

Das Gleiche gilt für den Fall, dass die Beihilfe zu einem Subventionswettlauf zwischen den Mitgliedstaaten ohne erkennbaren europäischen Mehrwert führt. Davon ist auszugehen, wenn einzige Folge der Beihilfegewährung die Verlagerung eines Unternehmens von einem Mitgliedstaat in einen anderen ist, ohne dass dies zu einer Ausweitung der FuEuI-Tätigkeit des betroffenen Unternehmens führt.

Die Abwägungsentscheidung muss auch dann zu Lasten der Beihilfegewährung ausfallen, wenn eine sog. Territorialisierung der Förderung vorliegt. Dies ist dann der Fall, wenn die Beihilfegewährung entweder an einen Hauptsitz des begünstigten Unternehmens im Staatsgebiet des

Beihilfengebers, an die Verwendung inländischer Produkte oder Dienstleistungen oder an die Verwertung der FuEuI-Ergebnisse des Projektes
im Inland geknüpft ist. Denn derartige Absprachen verstoßen gegen den
Grundsatz der Niederlassungsfreiheit gemäß Art. 49 AEUV, gegen die
Dienstleistungsfreiheit gemäß Art. 56 AEUV oder gegen den Grundsatz
des freien Warenverkehrs gemäß Art. 34 AEUV. Schon aus diesem Grunde
darf die Kommission an die vorstehend genannten Bedingungen geknüpfte
Beihilfen nicht genehmigen, denn es entspricht der ständigen Rechtsprechung des EuGH, dass eine staatliche Beihilfe, die wegen ihrer Modalitäten
gegen andere, außerhalb des Beihilfenrechts liegende Bestimmungen des
Primärrechts verstößt, nicht für mit dem Binnenmarkt vereinbar erklärt
werden kann.[21]

V. Schlussbemerkung

Die vorstehenden Ausführungen verdeutlichen die Komplexität der beihilfenrechtlichen Bewertung von Fördermaßnahmen im Bereich von FuEuI.
Allerdings ist festzustellen, dass die Handlungsspielräume der Förderstellen mit Inkrafttreten der neuen AGVO und des neuen FuEuI-Rahmens
zum 1. Juli 2014 deutlich erweitert wurden. Inwieweit die mitgliedstaatlichen Fördermittelgeber von diesem Flexibilitätsgewinn tatsächlich
Gebrauch machen werden, bleibt angesichts knapper öffentlicher Haus-
haltsmittel abzuwarten.

   Dessen ungeachtet steht fest, dass das Beihilfenregime für die FuEuI-
Förderung auch künftig einem steten Wandel unterworfen sein wird. Dies
folgt schon daraus, dass es sich dabei um einen Bereich handelt, der sich
angesichts des technologischen Fortschritts, der zunehmenden globalen
Vernetzung und u. a. daraus folgender neuer Formen der Kooperation
besonders dynamisch weiter entwickeln wird.

   Ich danke Ihnen für Ihre Aufmerksamkeit.

---

[21] EuGH, Rs. C-156/98 – Deutschland/Kommission, Slg. 2000, I-6857, Rn. 78
m. w. N.; Rs. C-225/91 – Malta, Slg. 1993, I-3203, Rn. 41.

Mehrdad Payandeh*

Wissenschaftsadäquanz der europäischen Forschungsförderung

I. Einführung: Erforderlichkeit wissenschaftsadäquater institutioneller Strukturen der Forschungsförderung in der Europäischen Union

Die Förderung individueller Forschungsvorhaben durch die Europäische Union stellt einen wesentlichen Bestandteil der Europäischen Wissenschafts- und Forschungspolitik dar. Sie ist eingebettet in den weiteren Kontext der Unionspolitik auf dem Gebiet der Forschung und technologischen Entwicklung und insbesondere in das Vorhaben der EU zur Errichtung eines Europäischen Forschungsraums. In institutioneller Hinsicht spielt dabei der Europäische Forschungsrat (European Research Council, ERC) eine herausragende Rolle. Diese 2007 ins Leben gerufene Institution hat sich innerhalb kürzester Zeit eine beachtliche Reputation in der wissenschaftlichen Gemeinschaft erarbeitet:[1] Die vom Europäischen Forschungsrat ausgeschriebenen „Starting Grants", „Consolidators Grants" sowie „Advanced Grants" erfreuen sich hoher Beliebtheit. Universitäten werben mit der Anzahl der von ihren Wissenschaftlerinnen und Wissenschaftlern eingeworbenen ERC Grants. Und auch in Stellenanzeigen für wissenschaftliche Positionen wird der Erfolg im Wettbewerb um die vom Europäischen Forschungsrat vergebenen Fördermittel als Faktor angegeben, der sich positiv im Bewerbungsverfahren auswirken kann.

Vor dem Hintergrund dieses augenscheinlichen Erfolgs müssen kritische Nachfragen, ob der Europäische Forschungsrat den Anforderungen

---

* Juniorprofessor für öffentliches Recht und Völkerrecht an der Heinrich-Heine-Universität Düsseldorf. Der vorliegende Beitrag knüpft an eine Gemeinschaftspublikation des Autors mit *Ralph Alexander Lorz* an, siehe *R. A. Lorz/M. Payandeh*, Die Institutionalisierung des Europäischen Forschungsraums, Zur Organisationsstruktur des Europäischen Forschungsrates, Wissenschaftsrecht, Beiheft 22, 2012. Für Anregungen und Hinweise danke ich *Julian Krüper, Lothar Michael* und *Heiko Sauer*.
[1] Siehe beispielsweise die Auswertung einer empirischen Studie bei *T. Luukkonen*, The European Research Council and the European research funding landscape, Science and Public Policy 41 (2014), S. 29 ff.

an eine wissenschaftsadäquate Institution zur Förderung wissenschaftlicher Forschung entspricht, überflüssig, ja geradezu häretisch erscheinen. Gleichwohl war die organisatorische Ausgestaltung des Europäischen Forschungsrates von Beginn an Gegenstand kontroverser Diskussionen[2] und hat bereits mehrere Expertenkommissionen beschäftigt: Schon 2009, also nur zwei Jahre nachdem der Europäische Forschungsrat seine Arbeit aufgenommen hatte, beauftragte die Kommission ein Review Panel damit, die Tätigkeit des Forschungsrates zu bewerten und Reformempfehlungen zu entwickeln.[3] Zwei Jahre später legte eine ebenfalls von der Kommission einberufene Task Force einen weiteren Bericht vor.[4] Beide Expertenkommissionen hoben Stärken und Schwächen des Europäischen Forschungsrates hervor und machten Verbesserungsvorschläge, die zu großen Teilen relativ kurzfristig innerhalb der bestehenden institutionellen Strukturen umgesetzt werden konnten. Beide Expertenkommissionen nahmen aber auch grundlegendere Reformüberlegungen in den Blick, bezogen allerdings auf einen eher mittel- bis langfristigen zeitlichen Horizont.

Vor diesem Hintergrund geht der vorliegende Beitrag der Frage nach, ob die Organisations- und Verfahrensstrukturen des Europäischen Forschungsrates dem Gebot einer wissenschaftsadäquaten Forschungsförderung gerecht werden. Dazu wird zunächst ein einführender Überblick über die Genese und die primärrechtlichen Grundlagen der Forschungsförderung in der Europäischen Union gegeben (II.). Anschließend werden die Organisations- und Entscheidungsstrukturen des Europäischen Forschungsrates daraufhin untersucht, inwiefern sie den Anforderungen an eine wissenschaftsadäquate Forschungsförderungseinrichtung gerecht werden (III.). Der Beitrag endet mit einem Ausblick und Empfehlungen für eine moderate institutionelle Neuausrichtung des Europäischen Forschungsrates (IV.).

II. Europäische Forschungsförderungspolitik: Ausweitung und Bedeutungszuwachs

Die Förderung des wissenschaftlichen und technischen Fortschritts stellt nach dem Vertrag von Lissabon ein explizites Ziel der Union dar (Art. 3 Abs. 3 Satz 3 EUV). Diese Vorgabe wird im XIX. Titel des AEU-Vertrags

---

[2] Siehe bereits *A. von Bogdandy/D. Westphal*, Untersuchung zur Implementierung eines Europäischen Forschungsrates (ERC) im 7. EU-Rahmenprogramm vom 11.7.2005; weitere Nachweise bei *T. Groß*, Der Europäische Forschungsrat – ein neuer Akteur im europäischen Forschungsraum, Europarecht 2010, S. 299 (300).

[3] European Research Council Review Panel, Towards a world class Frontier Research Organisation, Bericht vom 23.7.2009.

[4] European Research Council Task Force, Bericht vom 12.7.2011.

näher konkretisiert. Art. 179 Abs. 1 AEUV benennt drei Ziele der Forschungspolitik: die Stärkung der wissenschaftlichen und technologischen Grundlagen der Union durch Schaffung eines Europäischen Forschungsraums, die Entwicklung der Wettbewerbsfähigkeit der Union einschließlich der Wettbewerbsfähigkeit ihrer Industrie sowie die Unterstützung von Forschung mit Relevanz für andere Politikbereiche der Union. Die Forschungsförderungspolitik ist somit einerseits eng verzahnt mit wirtschafts- und industriepolitischen Zielsetzungen, was bereits darin zum Ausdruck gelangt, dass der EU-Vertrag sie in unmittelbarem Zusammenhang mit dem Binnenmarktziel (Art. 3 Abs. 3 Satz 1 EUV) verortet.[5] Andererseits hat die Forschung insbesondere durch den Vertrag von Lissabon eine deutliche Aufwertung und einen Eigenstand auch und gerade gegenüber der wirtschaftlichen Entwicklung erhalten und ist dadurch – zumindest in gewissem Umfang – „entfunktionalisiert"[6] worden. Damit hat die europäische Forschungspolitik ihre Beschränkung auf ein utilitaristisches Verständnis von Forschung[7], als reines Mittel zum Zweck der Erreichung anderer Ziele der Union wie dem Wirtschaftswachstum, der Steigerung der Wettbewerbsfähigkeit der Industrie oder der Verbesserung der Lebens- und Beschäftigungsbedingungen, überwunden.

Im Bereich der Forschungspolitik kommt Union und Mitgliedstaaten eine parallele Zuständigkeit zu (Art. 4 Abs. 3 AEUV).[8] Die Kompetenzen der Union in diesem Bereich sind im XIX. Titel des AEU-Vertrags gebündelt.[9] Dabei bildet Art. 182 AEUV die zentrale Vorschrift zur Verwirklichung der Europäischen Forschungspolitik. Danach stellt die Union im Bereich der Forschungspolitik zunächst ein mehrjähriges Rahmenprogramm auf (Art. 182 Abs. 1 AEUV), das dann durch spezifische Programme konkretisiert und durchgeführt wird (Art. 182 Abs. 3 und Abs. 4 AEUV). Weitere Konkretisierungsschritte erfolgen durch den Erlass von Beteiligungs- und Verbreitungsregeln (Art. 183 AEUV) sowie durch Rechtsakte der Kommission, die auf der Grundlage der entsprechenden Sekundärrechtsakte ergehen.

---

[5] Kritisch zum instrumentellen Verständnis der europäischen Forschungspolitik *K. F. Gärditz*, Europäisches Planungsrecht, 2009, S. 37 ff.

[6] So anschaulich *J. F. Lindner*, Die Europäisierung des Wissenschaftsrechts, 2009, S. 48.

[7] Siehe dazu *E. Schmidt-Aßmann*, Organisationsfragen der europäischen Forschungspolitik, in: Ole Due u. a. (Hrsg.), Festschrift für Ulrich Everling, Bd. II, 1995, S. 1281.

[8] Zur konzeptionellen Einordnung *M. Nettesheim*, in: E. Grabitz/M. Hilf/M. Nettesheim (Hrsg.), Das Recht der Europäischen Union, Loseblattsammlung (Stand: Januar 2014), Art. 4 AEUV Rdnr. 26.

[9] Art. 179 Abs. 3 AEUV ordnet einen Ausschließlichkeitsanspruch des XIX. Titels für Maßnahmen auf dem Gebiet der Forschung und der technologischen Entwicklung an.

Vor diesem Hintergrund hat die Union bislang acht Rahmenprogramme auf dem Gebiet der Forschung erlassen. Mit jedem Forschungsrahmenprogramm wuchs nicht nur die Summe der Fördermittel, sondern auch die inhaltliche Reichweite des jeweiligen Programms. Diesen Trend setzt auch das am 1. Januar 2014 begonnene achte Rahmenprogramm fort. Dieses unterscheidet sich schon nominativ insofern von den Vorgängerprogrammen, als es nicht als achtes Rahmenprogramm, sondern unter dem Titel „Horizon 2020" beziehungsweise „Horizont 2020" firmiert. Für das auf sieben Jahre angelegte Rahmenprogramm ist ein Gesamtbudget von knapp 77 Milliarden Euro veranschlagt.[10] Es ist das erste Rahmenprogramm, das nicht in Form eines Beschlusses, sondern als Verordnung ergeht. Zudem bündelt es bestehende Forschungsprogramme, indem es Teile des bisherigen Rahmenprogramms für Wettbewerbsfähigkeit und Innovation[11] sowie das Europäische Innovations- und Technologieinstitut[12] in sich aufnimmt.[13] Konkretisiert wird das Rahmenprogramm durch ein in Form eines Beschlusses des Rates ergangenes spezifisches Programm[14] sowie durch mehrere Durchführungsrechtsakte der Kommission. Inhaltlich weist das Programm „Horizont 2020" im Wesentlichen drei Schwerpunkte auf, die zumindest teilweise die primärrechtlich verankerten forschungspolitischen Zielvorgaben widerspiegeln: die Generierung von Wissenschaftsexzellenz, die Förderung der führenden Rolle der Industrie sowie die Bewältigung gesellschaftlicher Herausforderungen.[15]

III. Der Europäische Forschungsrat: eine wissenschaftsadäquate Institution der europäischen Forschungsförderung?

1. Die institutionelle Dimension der europäischen Forschungsförderungspolitik

Die europäische Forschungspolitik allgemein und die Durchführung und Verwaltung der verschiedenen Programmlinien von „Horizont 2020" im Besonderen bedürfen wissenschaftsadäquater institutioneller Strukturen

---

[10] Art. 6 Verordnung Nr. 1291/2013 vom 11.12.2013, ABl. L 347, S. 104.

[11] Andere Bestandteile des Rahmenprogramms für Wettbewerbsfähigkeit und Innovation sind im Programm für die Wettbewerbsfähigkeit von kleinen und mittleren Unternehmen aufgegangen, siehe Verordnung Nr. 1287/2013 vom 11.12.2013, ABl. L 347, S. 33.

[12] Verordnung Nr. 294/2008 vom 11.3.2008, ABl. L 97, S. 1.

[13] Siehe Verordnung Nr. 1291/2013, 10. Erwägungsgrund; Mitteilung der Kommission vom 30.11.2011, KOM(2011) 808 endgültig, S. 3.

[14] Beschluss des Rates Nr. 2013/743/EU vom 3.12.2013, ABl. L 347, S. 965.

[15] Siehe Art. 5 der Verordnung Nr. 1291/2013 und die ausführliche Darstellung im Anhang I; siehe zudem Art. 2 Abs. 2 Beschluss des Rates Nr. 2013/743/EU.

auf Unionsebene. Umso bemerkenswerter erscheint es, dass der XIX. Titel des AEU-Vertrags weder entsprechende Institutionen errichtet, noch nähere Vorgaben für die institutionelle Ausgestaltung der Forschungsförderungspolitik enthält. Allein Art. 187 AEUV sieht vor, dass die Union für die Durchführung ihrer forschungspolitischen Programme Unternehmen oder andere Strukturen gründen kann. Auch diese Vorschrift verhält sich allerdings nicht näher zur institutionellen Ausgestaltung. In Ermangelung näherer Vorgaben obläge der Vollzug der Europäischen Forschungsförderungspolitik – soweit es um direkten, unionsunmittelbaren Vollzug geht – der Europäischen Kommission.[16] Dass die Kommission für eine wissenschaftsadäquate Forschungsförderungsverwaltung nicht das geeignete Organ darstellt, das sieht aber selbst die Kommission so.[17]

Vor diesem Hintergrund hat die Union ein komplexes und vielschichtiges institutionelles Gefüge auf dem Gebiet der Forschungspolitik geschaffen.[18] Mit einem Mittelansatz von circa 13 Milliarden Euro für die siebenjährige Laufzeit von „Horizont 2020" kommt dabei dem Europäischen Forschungsrat besondere Bedeutung für die Förderung individueller Forschungsvorhaben zu.[19] Diese Institution soll daher im Zentrum der folgenden Betrachtung stehen.

2. Wissenschaftsadäquanz als Bewertungsmaßstab

Bevor die Organisationsform sowie die institutionellen Strukturen und Verfahrensabläufe des Europäischen Forschungsrates näher in den Blick genommen werden, stellt sich jedoch die Frage, nach welchem Maßstab diese Strukturen bewertet werden sollen. In der rechts- sowie wissenschaftspolitischen Diskussion kommt dabei dem Topos der Wissenschaftsadäquanz eine besondere Bedeutung zu.

---

[16] *M. Kotzur*, Bildung und Kultur, Forschung, technologische Entwicklung und Raumfahrt, in: R. Schulze/M. Zuleeg/S. Kadelbach (Hrsg.), Europarecht, Handbuch für die deutsche Rechtspraxis, 3. Aufl. 2014, § 38 Rdnr. 74; siehe auch Art. 9 Verordnung Nr. 1291/2013.

[17] Siehe Durchführungsbeschluss der Kommission Nr. 2013/779/EU vom 17.12.2013, ABl. L 346, S. 58, 8. Erwägungsgrund; siehe auch *E. Schmidt-Aßmann*, Organisationsfragen der europäischen Forschungspolitik, in: Ole Due u. a. (Hrsg.), Festschrift für Ulrich Everling, Bd. II, 1995, S. 1281 (1288).

[18] Überblick bei *M. Kotzur*, Bildung und Kultur, Forschung, technologische Entwicklung und Raumfahrt, in: R. Schulze/M. Zuleeg/S. Kadelbach (Hrsg.), Europarecht, Handbuch für die deutsche Rechtspraxis, 3. Aufl. 2014, § 38 Rdnr. 73 f.

[19] Unter dem siebten Rahmenforschungsprogramm (2007–2013) betrug das Budget 7,5 Milliarden Euro, siehe Art. 2 der Entscheidung Nr. 2006/972/EG des Rates vom 19.12.2006 über das spezifische Programm „Ideen" zur Durchführung des Siebten Rahmenprogramms der Europäischen Gemeinschaft für Forschung, technologische Entwicklung und Demonstration (2007–2013), ABl. L 400, S. 242.

a) Wissenschaftsadäquanz als Rechtsbegriff

Wissenschaftsadäquanz hat dabei zunächst eine rechtliche Dimension. Im innerstaatlichen verfassungsrechtlichen Diskurs spielt Wissenschaftsadäquanz als Rechtsbegriff vorrangig eine Rolle im Kontext des Hochschulrechts, genauer: als Maßgabe, die der Gesetzgeber in der Hochschulrechtsetzung zu beachten hat.[20] Den verfassungsrechtlichen Anknüpfungspunkt hierfür stellt das Grundrecht der Wissenschaftsfreiheit nach Art. 5 Abs. 3 GG dar. Das Bundesverfassungsgericht begreift die Wissenschaftsfreiheit dabei nicht nur als subjektives Freiheitsrecht, sondern erkennt auch eine objektiv-rechtliche Dimension an. Das Gericht versteht Art. 5 Abs. 3 GG als „objektive, das Verhältnis von Wissenschaft, Forschung und Lehre zum Staat regelnde wertentscheidende Grundsatznorm."[21] Dem Ansatz des Bundesverfassungsgerichts zufolge hat diese objektiv-rechtliche Konzeption eine doppelte Stoßrichtung: Die Wissenschaftsfreiheit verpflichtet den Staat einerseits dazu, wissenschaftliche Forschung durch Bereitstellung geeigneter Organisationen sowie finanzieller Mittel zu fördern und überhaupt erst zu ermöglichen. Andererseits entfaltet das objektiv-rechtliche Verständnis des Grundrechts eine dienende Funktion für die individualrechtliche Dimension:[22] Der Staat hat dafür zu sorgen, dass das Grundrecht der freien wissenschaftlichen Betätigung weitgehend unangetastet bleibt, was auch ein Teilhaberecht an öffentlichen Leistungen einschließe.[23] In den Worten des Bundesverfassungsgerichts:

„Dem einzelnen Träger des Grundrechts aus Art. 5 Abs. 3 GG erwächst aus der Wertentscheidung ein Recht auf solche staatlichen Maßnahmen auch organisatorischer Art, die zum Schutz seines grundrechtlich gesicherten Freiheitsraums unerläßlich sind, weil sie ihm freie wissenschaftliche Betätigung überhaupt erst ermöglichen."[24]

Das daraus folgende Verständnis von Grundrechtsschutz durch Organisation und Verfahren bietet durchaus Anknüpfungspunkte für Überlegungen der Wissenschaftsadäquanz. Und in der Tat: Das Bundesverfassungsgericht verlangt in ständiger Rechtsprechung, dass die Organisationsstrukturen der Hochschulen ein Mindestmaß an Wissenschaftsadäquanz erfüllen.[25]

---

[20] Zum Fokus der Diskussion um die Wissenschaftsfreiheit auf hochschulspezifische Fragestellungen *H.-H. Trute*, Die Forschung zwischen grundrechtlicher Freiheit und staatlicher Institutionalisierung, 1994, S. 16 ff.

[21] BVerfGE 35, 79 (111).

[22] Der Vorrang der individualrechtlichen Dimension der Wissenschaftsfreiheit wird stark betont von *K. F. Gärditz*, Hochschulorganisation und verwaltungsrechtliche Systembildung, 2009, S. 283 ff.; siehe zudem S. 329 ff. zur dienenden Funktion der objektiv-rechtlichen Dimension.

[23] BVerfGE 35, 79 (114).

[24] BVerfGE 35, 79 (115); 43, 242 (267).

[25] BVerfGE 35, 79 (119 ff.); 43, 242 (267 f.); 111, 333 (355).

Gleichwohl betont das Gericht im selben Atemzug, dass die Wissenschaftsfreiheit keine bestimmten Organisationsformen gebiete und dass der Gesetzgeber die Organisation des Wissenschaftsbetriebs innerhalb der grundrechtlichen Grenzen nach seinem Ermessen ordnen könne.[26] In der Operationalisierung dieser ihrerseits ausfüllungsbedürftigen Maßstäbe neigt das Bundesverfassungsgericht zudem in besonderem Maße zu judikativer Zurückhaltung.[27] Vor dem Hintergrund der besonders restriktiven Entscheidung des Gerichts zum brandenburgischen Hochschulgesetz aus dem Jahr 2004[28] resümiert *Klaus Ferdinand Gärditz* daher – zumindest vorläufig resignierend –, dass von der organisationsrechtlichen Dimension der Wissenschaftsfreiheit nur noch eine weitgehend beliebig ausfüllbare Hülle verblieben sei.[29] Auch wenn das Bundesverfassungsgericht diesen Maßstäben in der Entscheidung zum Hamburgischen Hochschulgesetz aus dem Jahr 2010[30] wieder mehr Schlagkraft verliehen hat:[31] Als Anforderung an den Gesetzgeber und als Grenze gesetzgeberischen Ermessens weist der Topos der Wissenschaftsadäquanz nur geringe materielle Konturen auf.[32]

Geradezu trivial muss zudem die Feststellung anmuten, dass bei der Übertragung eines auf dem Boden der deutschen Grundrechte gewonnenen Verständnisses von Wissenschaftsadäquanz auf die unionsrechtliche Ebene nicht automatisch von einer inhaltlichen Deckungsgleichheit ausgegangen werden kann.[33] Dem europäischen Grundrecht der Wissenschaftsfreiheit wird zwar auch ein organisationsrechtlicher Gehalt zugeschrieben.[34] Dieser ist allerdings bislang noch schwach konturiert und lässt

---

[26] BVerfGE 35, 79 (115); 111, 333 (355).

[27] Ausführliche Analyse der Rechtsprechung bei *W. Löwer*, Freiheit wissenschaftlicher Forschung und Lehre, in: D. Merten/H.-J. Papier (Hrsg.), Handbuch der Grundrechte in Deutschland und Europa, Bd. IV, 2011, § 99 Rdnr. 35 ff.; *K. F. Gärditz*, Hochschulorganisation und verwaltungsrechtliche Systembildung, 2009, S. 274 ff. sowie S. 280 ff. zur restriktiven Tendenz zugunsten legislativer Spielräume.

[28] BVerfGE 111, 333.

[29] *K. F. Gärditz*, Hochschulmanagement und Wissenschaftsadäquanz, NVwZ 2005, S. 407 (409).

[30] BVerfGE 127, 87.

[31] *K. F. Gärditz*, Anmerkung, JZ 2011, S. 314 (316) spricht von „Morgenröte im Hochschulverfassungsrecht".

[32] So auch *D. Krausnick*, Staat und Hochschule im Gewährleistungsstaat, 2012, S. 178; sehr skeptisch auch *H. Fangmann*, Gelehrtenrepublik und staatliche Anstalt – Verfassungsrechtliche Grundlagen und systemischer Kontext der Organisation Hochschule, in: U. Wilkesmann/C. J. Schmid (Hrsg.), Hochschule als Organisation, 2012, S. 61 (63 f.).

[33] *E. Schmidt-Aßmann*, Organisationsfragen der europäischen Forschungspolitik, in: Festschrift für Ulrich Everling, Bd. II, 1995, S. 1281 (1291 f.); *H.-H. Trute/T. Groß*, Rechtsvergleichende Grundlagen der europäischen Forschungspolitik, WissR 27 (1994), S. 203 (236 f.).

[34] Siehe *M. Ruffert*, in: C. Calliess/M. Ruffert (Hrsg.), EUV/AEUV, Kommentar, 4. Aufl. 2011, Art. 13 GRCh Rdnr. 9 und Rdnr. 12; *N. Bernsdorff*, in: J. Meyer (Hrsg.),

materielle Vorgaben an die Unionsrechtsetzung nur schwer erkennen.[35] Nichts anderes ergibt sich im Ergebnis, wenn man mit *Eberhard Schmidt-Aßmann* die institutionelle Autonomie der Wissenschaft als allgemeinen Rechtsgrundsatz des Unionsrechts begreift.[36] Auch auf dieser Grundlage lassen sich nur schwer greifbare organisationsrechtliche Anforderungen an die Forschungsförderung ableiten.

Im Ergebnis lässt sich damit zwar durchaus ein unionsrechtliches Gebot der Wissenschaftsadäquanz statuieren, das auch und gerade bei der institutionellen und verfahrensbezogenen Ausgestaltung der Forschungsförderung auf Unionsebene Beachtung verlangt. Die Konturen dieses Gebots sind allerdings eher unscharf und gehen über eine allgemeine Gewährleistung wissenschaftlicher Autonomie kaum hinaus.

b) Inhaltliche Vorgaben der Wissenschaftsadäquanz

Wissenschaftsadäquanz stellt indes nicht nur und nicht einmal primär einen Rechtsbegriff dar. Es handelt sich vielmehr um einen Begriff, der auch und gerade im rechtspolitischen und im verwaltungswissenschaftlichen Kontext Bedeutung erlangt. Allen begrifflichen Unschärfen zum Trotz lassen sich gerade mit Blick auf die Forschungsförderung einige Kernforderungen ausmachen: Wissenschaftsadäquanz weist zunächst einen engen Bezug zu wissenschaftlicher Autonomie auf und verlangt nach einer weitgehenden Einbindung der wissenschaftlichen Gemeinschaft in Organisationsstrukturen und Entscheidungsprozesse.[37] *Wolfgang Löwer* bringt diese Forderung

---

Charta der Grundrechte der Europäischen Union, Kommentar, 4. Aufl. 2014, Art. 13 Rdnr. 15; zum aus Art. 13 abgeleiteten Teilhaberecht *H. D. Jarass*, Charta der Grundrechte der Europäischen Union, Kommentar, 2. Aufl. 2013, Art. 13 Rdnr. 12.

[35] Siehe *K. F. Gärditz*, Hochschulorganisation und verwaltungsrechtliche Systembildung, 2009, S. 437; siehe auch *A. von Bogdandy/D. Westphal*, Untersuchung zur Implementierung eines Europäischen Forschungsrates (ERC) im 7. EU-Rahmenprogramm vom 11.7.2005, S. 6.

[36] *E. Schmidt-Aßmann*, Organisationsfragen der europäischen Forschungspolitik, in: Festschrift für Ulrich Everling, Bd. II, 1995, S. 1281 (1291 f.). Grundsätzliche Plausibilität erhält dieser Ansatz durch die im Rechtsvergleich feststellbare wissenschaftliche Autonomie von Forschungsförderungseinrichtungen innerhalb der Mitgliedstaaten, siehe dazu *T. Groß*, Die Autonomie der Wissenschaft im europäischen Rechtsvergleich, 1992, S. 129 f. und S. 140 f.; *H.-H. Trute/T. Groß*, Rechtsvergleichende Grundlagen der europäischen Forschungspolitik, WissR 27 (1994), S. 203 (208 ff.). *Trute* und *Groß* gelangen zu ähnlichen Ergebnissen auf der Grundlage eines unionsrechtlichen Kooperations- und Rücksichtnahmegebots (S. 242 ff.).

[37] Siehe nur *M. Seckelmann*, Autonomie, Heteronomie und Wissenschaftsadäquanz, WissR 45 (2012), S. 200 (216 f.); *A. von Bogdandy/D. Westphal*, Untersuchung zur Implementierung eines Europäischen Forschungsrates (ERC) im 7. EU-Rahmenprogramm vom 11.7.2005, S. 2; *E. Schmidt-Aßmann*, Organisationsfragen der europäischen For-

prägnant in der Formulierung auf den Punkt, dass „über Wissenschaft nicht ohne Wissenschaft entschieden werden darf."[38] Diese Einbeziehung in wissenschaftspolitische Entscheidungen kann auf verschiedenen Ebenen zum Tragen kommen: Wissenschaftlerinnen und Wissenschaftler können bereits bei der Ausarbeitung der Rechtsgrundlagen der Forschungsförderung herangezogen werden, also bei den grundlegenden wissenschaftspolitischen Weichenstellungen. Sie können bei Personalentscheidungen im Hinblick auf die Besetzung der entsprechenden Organe und Gremien der Förderungseinrichtungen Berücksichtigung finden. Sie können und sollten schließlich selbst Mitglieder dieser Organe und Gremien sein und damit sowohl wissenschaftliche als auch administrative Entscheidungen der Forschungsförderung treffen. Und insbesondere die Entscheidungen über die Vergabe der Forschungsförderungsmittel im konkreten Einzelfall müssen von Wissenschaftlerinnen und Wissenschaftlern getroffen werden.

Als Kehrseite zu dieser Einbeziehung der Wissenschaft geht es darum, wissenschaftsferne Erwägungen und Einflüsse von der Forschungsförderung fernzuhalten: Die Beurteilung von Forschungsanträgen nach politischen Opportunitätserwägungen oder auch die Statuierung mitgliedstaatlicher Quoten nach dem Grundsatz des „juste retour" erscheinen danach grundsätzlich suspekt. Sie wären geeignet, das Vertrauen der Wissenschaft in die Integrität institutionalisierter Forschungsförderung zu untergraben. In institutionell-organisatorischer Hinsicht erscheint daher eine gewisse Verselbständigung beziehungsweise Distanz der Forschungsförderungseinrichtung von staatlichen Strukturen – im unionsrechtlichen Kontext von den politischen Organen der Union – erforderlich. Gerade im Bereich der Grundlagenforschung verlangt die Wissenschaftsadäquanz zwar keine absolute Freiheit von der Politik aber durchaus eine aufgabenadäquate Verselbständigung.[39]

Dieser Konzeption von Wissenschaftsadäquanz entspricht im Wesentlichen auch das Selbstverständnis des Europäischen Forschungsrates. Auf seiner Homepage umschreibt der Forschungsrat seine Mission als Förderung von Forschung allein auf der Grundlage des Kriteriums der wissenschaftlichen Exzellenz.[40] Der Ansatz des Forschungsrates sei „investigator-driven" und „bottom-up". Er erlaube Forscherinnen und Forschern daher,

---

schungspolitik, in: Ole Due u. a. (Hrsg.), Festschrift für Ulrich Everling, Bd. II, 1995, S. 1281 (1288 ff.); *J. F. Lindner*, Die Europäisierung des Wissenschaftsrechts, 2009, S. 91.

[38] *W. Löwer*, Freiheit wissenschaftlicher Forschung und Lehre, in: D. Merten/ H.-J. Papier (Hrsg.), Handbuch der Grundrechte in Deutschland und Europa, Bd. IV, 2011, § 99 Rdnr. 36.

[39] Siehe *H.-H. Trute*, Die Forschung zwischen grundrechtlicher Freiheit und staatlicher Institutionalisierung, 1994, S. 296 f.

[40] http://erc.europa.eu/about-erc/mission (zuletzt abgerufen am 10.3.2016).

die Ausrichtung ihrer Forschung selbst zu definieren, statt sich nach von der Politik festgesetzten Prioritäten richten zu müssen. Auch und gerade die Herkunft der Forscherinnen und Forscher soll dabei dezidiert keine Rolle spielen. Ob der Europäische Forschungsrat in organisatorischer und verfahrensbezogener Hinsicht diesen Anforderungen der Wissenschaftsadäquanz gerecht wird, soll im Folgenden untersucht werden.

3. Die Organisationsform des Europäischen Forschungsrates

Der Europäische Forschungsrat wurde 2007 im Zuge des Siebten Rahmenforschungsprogramms, als Teil des spezifischen Programms „Ideen" ins Leben gerufen.[41] Seine Organisationsform weist in mehrfacher Hinsicht Besonderheiten auf. So ist er erstens keine einheitliche Institution, sondern besteht aus zwei selbständigen Einheiten: dem Wissenschaftlichen Rat (Scientific Council) und einer Exekutivagentur (Executive Agency) als Durchführungsstelle. Beide Einrichtungen wurden durch separate Rechtsakte eingerichtet und sind trotz vielfältiger Vernetzungsstrukturen und begrifflicher Zusammenfassung als Europäischer Forschungsrat institutionell voneinander getrennt. Bezieht man die Europäische Kommission, die in vielfältiger Weise in Organisation und Arbeitsablauf des Europäischen Forschungsrates eingebunden ist, mit in die Betrachtung ein, so ergibt sich eine dreigliedrige Struktur des Europäischen Forschungsrates.[42]
    Zweitens ist der Europäische Forschungsrat keine dauerhaft etablierte Institution. Seine Laufzeit ist vielmehr unmittelbar an diejenige des jeweiligen Rahmenforschungsprogramms gekoppelt: Der Europäische Forschungsrat als solcher wurde ursprünglich für die Zeit von 2007 bis Ende 2013 errichtet.[43] Dementsprechend musste der Europäische Forschungsrat zum Ende

---

[41] Beschluss Nr. 1982/2006/EG des Europäischen Parlaments und des Rates vom 18.12.2006 über das Siebte Rahmenprogramm der Europäischen Gemeinschaft für Forschung, technologische Entwicklung und Demonstration, ABl. L 412, S. 1; Entscheidung Nr. 2006/972/EG des Rates vom 19.12.2006 über das spezifische Programm „Ideen" zur Durchführung des Siebten Rahmenprogramms der Europäischen Gemeinschaft für Forschung, technologische Entwicklung und Demonstration (2007–2013), ABl. L 400, S. 242; Beschluss Nr. 2007/134/EG der Kommission vom 2.2.2007 zur Einrichtung des Europäischen Forschungsrates, ABl. L 57, S. 14; Beschluss Nr. 2008/37/EG der Kommission vom 14.12.2007 zur Einsetzung der „Exekutivagentur des Europäischen Forschungsrats" für die Verwaltung des spezifischen Gemeinschaftsprogramms „Ideen" auf dem Gebiet der Pionierforschung gemäß der Verordnung (EG) Nr. 58/2003 des Rates, ABl. L 9, S. 15.
[42] So *A. von Bogdandy/D. Westphal*, Untersuchung zur Implementierung eines Europäischen Forschungsrates (ERC) im 7. EU-Rahmenprogramm vom 11.7.2005, S. 2 ff.; siehe auch *H. Hofmann*, The European Research Council as Case Study for Agency Design in the EU, European Public Law 18 (2012), S. 175 (177).
[43] Art. 1 Beschluss Nr. 2007/134/EG. Die Laufzeit der Exekutivagentur war bis Ende 2017 vorgesehen, Art. 3 Beschluss Nr. 2008/37/EG.

der Laufzeit des siebten Rahmenforschungsprogramms neu gegründet werden. Unter dem Rahmenforschungsprogramm „Horizont 2020" ist der Forschungsrat Teil des forschungspolitischen Schwerpunkts „Wissenschaftsexzellenz". Das spezifische Programm sieht die Errichtung des Europäischen Forschungsrates vor und gibt sowohl die Organisationsstruktur als auch das Aufgabenspektrum in groben Zügen vor.[44] Umgesetzt und konkretisiert werden diese Vorgaben durch verschiedene Beschlüsse der Kommission.[45] Um die Kontinuität der Tätigkeit des Europäischen Forschungsrates vom siebten zum achten Rahmenforschungsprogramm zu gewährleisten, ordnen die konstituierenden Rechtsakte die Rechtsnachfolge sowohl des Europäischen Forschungsrates[46] als auch der Exekutivagentur[47] an.

Diese beiden institutionellen Besonderheiten – also die fehlende institutionelle Einheitlichkeit sowie Dauerhaftigkeit – erschweren die rechtswissenschaftliche Einordnung des Europäischen Forschungsrates. Er stellt einerseits keine einheitliche und selbständige Institution dar; andererseits ist er aufgrund seiner autonomen Handlungs- und Entscheidungsspielräume mehr als nur ein Beratungs- und Vorbereitungsgremium der Kommission. Er entzieht sich damit den bekannten Organisationskategorien des Unionsrechts.[48] Durch die Kombination von separaten, zumindest zum Teil weitgehend unabhängigen Entitäten auf der einen Seite und die Einbindung der Kommission auf der anderen Seite weist er einen hybriden Charakter auf.[49] Im Ergebnis lässt er sich daher wohl nur als Organisationsform sui generis bezeichnen[50]. Damit ist freilich noch nicht viel gewonnen, sodass für die Beurteilung, ob und inwiefern der Europäische Forschungsrat den Anforderungen an eine wissenschaftsadäquate Fördereinrichtung genügt, eine genauere Untersuchung der Organisations- und Entscheidungsstrukturen dieser Institution erforderlich erscheint.

---

[44] Art. 6 bis 8 sowie Anhang I Teil 1 Abschnitt 1.1 Beschluss des Rates Nr. 2013/743/EU.

[45] Beschluss der Kommission Nr. 2013/C 373/09 vom 12.12.2013, ABl. C 373, S. 23; Durchführungsbeschluss der Kommission Nr. 2013/779/EU vom 17.12.2013, ABl. L 346, S. 58; Beschluss der Kommission Nr. C(2013) 9428 vom 20.12.2013, zuletzt geändert durch Beschluss der Kommission Nr. C(2014) 9437 vom 12.12.2014. Speziell im Hinblick auf die Exekutivagentur gelangt zudem das allgemeine Statut der Exekutivagenturen zur Anwendung, Verordnung Nr. 58/2003 des Rates vom 19.12.2002 zur Festlegung des Statuts der Exekutivagenturen, die mit bestimmten Aufgaben bei der Verwaltung von Gemeinschaftsprogrammen beauftragt werden, ABl. L 11, S. 1.

[46] Art. 1 Beschluss Nr. 2013/C 373/09.

[47] Art. 1 Durchführungsbeschluss Nr. 2013/779/EU.

[48] *T. Groß*, Der Europäische Forschungsrat – ein neuer Akteur im europäischen Forschungsraum, Europarecht 2010, S. 299 (301).

[49] *H. Hofmann*, The European Research Council as Case Study for Agency Design in the EU, European Public Law 18 (2012), S. 175 ff.

[50] *R. A. Lorz / M. Payandeh*, Die Institutionalisierung des Europäischen Forschungsraums, 2012, S. 6.

4. Organisations- und Entscheidungsstrukturen des Europäischen Forschungsrates

Im institutionellen Dreieck des Europäischen Forschungsrates repräsentiert der Wissenschaftliche Rat die wissenschaftliche Gemeinschaft. Dementsprechend kommt ihm eine herausragende Bedeutung zu, die Exekutivagentur hingegen soll die Arbeit des Wissenschaftlichen Rates unterstützen und ist – zumindest ihrer Grundkonzeption zufolge – allein mit der administrativen Programmdurchführung beauftragt.[51] Wie alle Exekutivagenturen der Union wird auch die Exekutivagentur des Europäischen Forschungsrates von einem Direktor und einem Lenkungsausschuss geleitet. Sowohl der Direktor als auch die Mitglieder des Lenkungsausschusses werden von der Kommission ernannt.[52] Die Exekutivagentur steht unter der Aufsicht der Kommission und muss dieser regelmäßig Bericht erstatten.[53] Sie handelt im Namen der Kommission, bei der auch die Verantwortung verbleibt.[54]

Unvergleichbar stärkere Autonomie und Unabhängigkeit kommt hingegen dem Wissenschaftlichen Rat zu. Der Wissenschaftliche Rat setzt sich zusammen aus dem Präsidenten des Europäischen Forschungsrates sowie 21 weiteren Mitgliedern.[55] Der Präsident steht sowohl dem Wissenschaftlichen Rat als auch dem Europäischen Forschungsrat als Ganzem vor.[56] Die Rolle des Präsidenten, der ursprünglich nur der Vorsitzende des Wissenschaftlichen Rates war, ist im Zuge der Neugründung des Europäischen Forschungsrates 2014 entschieden aufgewertet worden.[57] In dem gestärkten Posten geht zugleich die Funktion des ehemaligen Generalsekretärs auf, der den Wissenschaftlichen Rat unterstützen und die Kommunikation mit der Kommission sowie der Exekutivagentur sicherstellen sollte.[58]

Die Amtszeit der Mitglieder des Wissenschaftlichen Rates beträgt höchstens vier Jahre, Wiederernennung ist einmal möglich.[59] Die Mitglieder werden von der Kommission ernannt, ihre Auswahl erfolgt auf der Grundlage von Vorschlägen, die ein unabhängiges, ständiges Findungs-

---

[51] Siehe Art. 3 Durchführungsbeschluss der Kommission Nr. 2013/779/EU.
[52] Siehe ausführlich Verordnung Nr. 58/2003.
[53] Art. 5 Durchführungsbeschluss Nr. 2013/779/EU.
[54] Durchführungsbeschluss Nr. 2013/779/EU, 1. Erwägungsgrund.
[55] Art. 2 Abs. 1 Beschluss Nr. 2013/C 373/09.
[56] Art. 6 Abs. 3 Beschluss Nr. 2013/743/EU.
[57] Siehe zu den entsprechenden Empfehlungen European Research Council Task Force, Bericht vom 12.7.2011, S. 10 f.
[58] Zur Rolle des Generalsekretärs und zur Abschaffung dieses Postens *T. König*, Funding Frontier Research: Mission Accomplished?, Journal of Contemporary European Research 11 (2015), S. 124 (129).
[59] Art. 7 Abs. 1 UAbs. 3 Beschluss Nr. 2013/743/EU; Art. 2 Abs. 3 Beschluss Nr. 2013/C 373/09.

komitee (Identification Committee) unterbreitet, das ebenfalls aus von der Kommission ernannten Wissenschaftlerinnen und Wissenschaftlern besteht. Der Wissenschaftliche Rat soll unabhängig sein, seine Mitglieder handeln in ihrer persönlichen Eigenschaft, frei von Fremdinteressen und frei von jeder Einflussnahme von außen.[60]

Die Aufgaben und Kompetenzen des Wissenschaftlichen Rates werden in den entsprechenden Rechtsgrundlagen eher grob umrissen. Danach legt der Wissenschaftliche Rat unter anderem die Gesamtstrategie des Europäischen Forschungsrates fest, das Arbeitsprogramm für die Durchführung der Tätigkeit des Rates sowie die Arbeits- und Verfahrensweise für das Peer Review-Begutachtungsverfahren und die Bewertung der Vorschläge.[61] Dem Wissenschaftlichen Rat wird dabei die umfassende Entscheidungsgewalt über die Art der zu fördernden Forschung zugewiesen.[62] Er entscheidet dementsprechend darüber, welche Budgetanteile auf welche Förderlinie zu verwenden sind und ob – wenn überhaupt – eine Aufteilung des Budgets nach verschiedenen wissenschaftlichen Bereichen vorzunehmen ist.[63]

Der Wissenschaftliche Rat wählt zudem die Vorsitzenden und die Mitglieder der Peer Review-Ausschüsse aus.[64] Diesen Ausschüssen kommt die zentrale Aufgabe zu, die eingereichten Anträge auf Förderung nach Maßgabe des Kriteriums der Exzellenz[65] zu beurteilen. Die Auswahl der

---

[60] Art. 6 Abs. 2 und Art. 7 Abs. 1 Beschluss Nr. 2013/743/EU; Art. 2 Abs. 2 Beschluss Nr. 2013/C 373/09; zur Autonomie des Wissenschaftlichen Rates *T. Luukkonen*, The European Research Council and the European research funding landscape, Science and Public Policy 41 (2014), S. 29 (35).

[61] Art. 7 Abs. 2 Beschluss Nr. 2013/743/EU.

[62] Anhang I Teil 1 Abschnitt 1 Beschluss des Rates Nr. 2013/743/EU.

[63] Nach den Vorgaben des Rahmenprogramms erfolgt die Förderung durch den Europäischen Forschungsrat ohne vorher festgelegte Schwerpunkte, siehe Anhang I, Teil 1.3 Verordnung Nr. 1291/2013. In den Protokollen zu den fünfmal jährlich stattfindenden Treffen des Wissenschaftlichen Rates findet sich regelmäßig der Hinweis auf eine Diskussion über die Verteilung des Budgets auf verschiedene wissenschaftliche Bereiche. Auf dem 46. Treffen im Juni 2014 in Oslo wurde indes der Beschluss gefasst, die Unterscheidung nach verschiedenen wissenschaftlichen Bereichen für die Zwecke der Budgetzuteilung abzuschaffen, siehe ERC Scientific Council, 46th Plenary Meeting, Oslo, 17–18 June 2014, Minutes, S. 2; zur grundsätzlichen Legitimität einer Schwerpunktsetzung bei der Verteilung von Ressourcen im Bereich Wissenschaft und Forschung *W. Löwer*, Freiheit wissenschaftlicher Forschung und Lehre, in: D. Merten/H.-J. Papier (Hrsg.), Handbuch der Grundrechte in Deutschland und Europa, Bd. IV, 2011, § 99 Rdnr. 42.

[64] Siehe Art. 7 Abs. 2 lit. c) sowie Anhang I Teil 1 Abschnitt 1.1 (S. 981) Beschluss Nr. 2013/743/EU; ERC Rules for Submission and Evaluation, Beschluss der Kommission Nr. C(2014)?454, vom 15.4.2014, Annex I, 3.2.

[65] Art. 15 Abs. 1 lit. a), Abs. 2 Verordnung Nr. 1290/2013 vom 11.12.2013, ABl. L 347, S. 81; siehe zum Kriterium der Exzellenz *T. Luukkonen*, The European Research Council and the European research funding landscape, Science and Public Policy 41 (2014), S. 29 (33 f.).

zu fördernden Forschungsvorhaben wird auf der Grundlage der Ergebnisse des Peer Review-Verfahrens getroffen.[66] Zu diesem Zweck nimmt die Exekutivagentur eine Reihung der Vorschläge nach Maßgabe dieser Ergebnisse vor.[67] Die entsprechende Reihung muss schließlich vom Wissenschaftlichen Rat bestätigt werden.[68] Der Exekutivagentur obliegt dementsprechend die administrative Vorbereitung und Durchführung des gesamten Entscheidungsverfahrens. Sie ist es auch, die mit den antragstellenden Forscherinnen und Forschern kommuniziert und sie über die Annahme oder Ablehnung ihres Antrags informiert.[69]

5. Neuralgische Punkte im institutionellen Design des Europäischen Forschungsrates

Auf den ersten Blick erscheinen die Organisationsstrukturen sowie die Verfahrensabläufe des Europäischen Forschungsrates somit den Anforderungen des Gebots der Wissenschaftsadäquanz zu genügen: Der Wissenschaftliche Rat steht im Zentrum der wissenschaftspolitisch bedeutsamen Entscheidungen. Die Beurteilung der Förderanträge obliegt mit Wissenschaftlerinnen und Wissenschaftlern besetzten Gremien. Die Exekutivagentur ist auf administrative Aufgaben beschränkt. Dafür, dass die Kommission je versucht hätte, sich in wissenschaftsspezifische Entscheidungsvorgänge einzumischen, sind keine Anhaltspunkt ersichtlich. Auch am Peer Review-Verfahren ist bislang keine grundsätzliche Kritik geübt worden. Das Vergabeverfahren des Europäischen Forschungsrates gilt vielmehr als vorbildlich.[70]

Gleichwohl: Gerade aus einer spezifisch rechtlichen Perspektive erscheint Skepsis angebracht, ob das institutionelle Gefüge des Europäischen Forschungsrates uneingeschränkt als wissenschaftsadäquat gelten kann. Vier kritische Aspekte seien erwähnt.

---

[66] Siehe ERC Rules for Submission and Evaluation, Beschluss der Kommission Nr. C(2014)2454, vom 15.4.2014, Annex I, 3.7.

[67] Siehe auch Art. 15 Abs. 6 Verordnung Nr. 1290/2013.

[68] Das gesamte Verfahren findet unter Aufsicht des Wissenschaftlichen Rates statt, siehe Anhang I Teil 1 Abschnitt 1.1 Beschluss des Rates Nr. 2013/743/EU.

[69] Eine detaillierte Auflistung der Aufgaben der Exekutivagentur findet sich in Annex I zum Beschluss der Kommission Nr. C(2013) 9428.

[70] Siehe nur *T. Groß*, Der Europäische Forschungsrat – ein neuer Akteur im europäischen Forschungsraum, Europarecht 2010, S. 299 (306).

a) Transparenz und Erkennbarkeit von Verantwortungszuweisungen

Ein erster, grundlegender Einwand betrifft die Transparenz des Europäischen Forschungsrates.[71] Dabei geht es weniger darum, dass das Verfahren der Fördervergabe als solches intransparent wäre. Der Vorwurf knüpft vielmehr daran an, dass es allein anhand der Rechtsakte, die den Europäischen Forschungsrat errichten und die die Grundlage seiner Tätigkeit darstellen, nur schwer möglich ist, die Verteilung von Entscheidungsbefugnissen und damit auch die Zuweisung von Verantwortungen innerhalb des institutionellen Dreiecks zwischen Wissenschaftlichem Rat, Exekutivagentur und Kommission nachzuvollziehen. Erschwert wird der Zugriff bereits durch die schiere Menge an Rechtsakten, die hierfür herangezogen werden müssen: Neben der Verordnung über das Rahmenforschungsprogramm und den Beschluss über das spezifische Programm sind die Beschlüsse der Kommission über die Errichtung des Europäischen Forschungsrates sowie der Exekutivagentur heranzuziehen. Speziell für die Exekutivagentur gelangt darüber hinaus noch das allgemeine Statut der Exekutivagenturen zur Anwendung. Die konkreten Befugnisse der Exekutivagentur ergeben sich erst aus einem – nur schwer auffindbaren – Beschluss der Kommission zur Delegation von Befugnissen auf die Agentur. Wesentliche Regelungen gerade über das Verfahren der Förderentscheidung finden sich zudem in einer allgemein für Maßnahmen im Rahmenforschungsprogramm geltenden Verordnung sowie in Rules for Submission and Evaluation. Die Kompetenzen und Verantwortungen der einzelnen Gremien werden zudem – gerade im Hinblick auf die Befugnisse des Wissenschaftlichen Rates – zum Teil eher abstrakt umschrieben als konkret benannt.

Nun ist die Unübersichtlichkeit des unionalen Sekundärrechts sicherlich kein Alleinstellungsmerkmal des europäischen Forschungsförderungsrechts. Die komplexe und nur schwer greifbare Struktur des Europäischen Forschungsrates lässt indes eine eindeutige und vor allem auch eindeutig erkennbare Zuweisung von Kompetenzen und damit auch von Verantwortungen in besonderem Maße geboten erscheinen: Gerade unter dem Gesichtspunkt der Wissenschaftsadäquanz spielt es eine maßgebliche Rolle, ob eine bestimmte Entscheidung von unabhängigen Wissenschaftlerinnen und Wissenschaftlern, von einer administrativ handelnden Verwaltungsagentur oder von der politisch geprägten Kommission getroffen wird.

---

[71] Dazu *R. A. Lorz/M. Payandeh*, Die Institutionalisierung des Europäischen Forschungsraums, 2012, S. 34 f.

b) Die Rolle der Kommission

Damit rückt zweitens die nur schwer greifbare Rolle der Kommission im Rahmen der Tätigkeit des Europäischen Forschungsrates ins Blickfeld. Unter dem Gesichtspunkt der Wissenschaftsadäquanz sieht sich eine Einflussnahme der Kommission auf die Tätigkeit des Forschungsrates erheblichen Bedenken ausgesetzt. Als dem allgemeinen Interesse der Union verpflichtetes politisches Organ verfolgt die Kommission eine Vielzahl konkurrierender, teilweise kollidierender politischer Ziele. Damit ist nicht ausgeschlossen, dass die Kommission forschungspolitische Entscheidungen auch an wissenschaftsexternen Zwecken wie insbesondere der Relevanz für die Industrie ausrichtet. Zudem ist die Kommission in vielfältiger Hinsicht politisch mit den anderen Unionsorganen sowie den Mitgliedstaaten, aber auch mit Vertretern gesellschaftlicher und insbesondere wirtschaftlicher Interessen verflochten. Auch unter diesem Gesichtspunkt erscheint eine im weitesten Sinne wissenschaftsinadäquate Beeinflussung von Entscheidungen denkbar.

Vor diesem Hintergrund ist die exponierte Stellung der Kommission im Programm „Horizont 2020" bedenklich. Bereits das Rahmenforschungsprogramm sieht im Grundsatz vor, dass die Kompetenz zur Durchführung des Programms bei der Kommission liegt.[72] Das spezifische Programm weist der Kommission in recht allgemeiner Weise die Verantwortung dafür zu, die Autonomie und Integrität des Europäischen Forschungsrates sowie die ordnungsgemäße Ausführung der ihm übertragenen Aufgaben zu gewährleisten.[73] Weitreichende Kompetenzen hat die Kommission zudem im Rahmen von Personalentscheidungen. Auch wenn es nach Auffassung der Kommission die Wissenschaftlerinnen und Wissenschaftler selbst sind, die über die Zusammensetzung des Wissenschaftlichen Rates bestimmen;[74] das Letztentscheidungsrecht liegt bei der Kommission, die die Mitglieder benennt.[75] Die Kommission muss zudem wesentliche vom Wissenschaftlichen Rat getroffene Entscheidungen, wie insbesondere das Arbeitsprogramm[76] und

---

[72] Art. 9 Verordnung Nr. 1291/2013; sehr kritisch, im Hinblick auf vergleichbare Regelungen unter dem siebten Rahmenforschungsprogramm, *J. F. Lindner*, Die Europäisierung des Wissenschaftsrechts, 2009, S. 90 ff.

[73] Art. 6 Abs. 6 Beschluss Nr. 2013/743/EU; zur Kritik *R. A. Lorz / M. Payandeh*, Die Institutionalisierung des Europäischen Forschungsraums, 2012, S. 17.

[74] Siehe Europäische Kommission, Pressemitteilung vom 27.5.2014, Top scientists to decide who governs the European Research Council.

[75] *J. F. Lindner*, Die Europäisierung des Wissenschaftsrechts, 2009, S. 91.

[76] Art. 5 Abs. 3 Beschluss Nr. 2013/743/EU; zum grundsätzlichen Abweichungsrecht der Kommission vom Standpunkt des Wissenschaftlichen Rates Art. 7 Abs. 2 Satz 2 Beschluss Nr. 2013/743/EU; zur rechtspolitischen Bewertung European Research Council Task Force, Bericht vom 12.7.2011, S. 8 f.

die Verfahrensregeln bestätigen. Die stärkste Form der Einflussnahme auf den Europäischen Forschungsrat bietet sich der Kommission indes über die Exekutivagentur.[77] Trotz ihrer rechtlichen Selbständigkeit stellt die Exekutivagentur ein bloßes Hilfsorgan der Kommission dar.[78] In den Worten des ERC Review Panels: „At the end of the day, there is nothing more dependent vis-à-vis the Commission than an Executive Agency".[79]

Um es nochmals zu betonen: Allen Berichten über die bisherigen Erfahrungen mit dem Europäischen Forschungsrat zufolge hat die Kommission ihre Stellung im institutionellen Gefüge des Forschungsrates bislang nicht für eine inhaltliche Beeinflussung ausgenutzt.[80] Problematisch erscheint indes schon die Tatsache, dass sie nach ihrer rechtlichen Situierung durchaus Möglichkeiten hätte, Einfluss zu nehmen.[81]

c) Wissenschaft und Verwaltung

Gerade der letztgenannte Aspekt, die enge Verbindung des Europäischen Forschungsrates mit der Kommission über die institutionelle Schnittstelle der Exekutivagentur, erscheint indes auf den ersten Blick unproblematisch. Denn die Exekutivagentur nimmt nach ihrer Grundkonzeption allein administrative Aufgaben wahr. Sie trifft wissenschaftsbezogene Entscheidungen nicht selbst, sondern organisiert diese nur und führt sie aus. Die Vorstellung einer strikten konzeptionellen Trennung von wissenschaftlicher Entscheidung auf der einen Seite und administrativer Umsetzung auf der anderen, sieht sich indes grundlegenden Bedenken ausgesetzt – Bedenken, die so stark sind, dass das ERC Review Panel diese Trennung sogar als „Erbsünde" des Europäischen Forschungsrates bezeichnet.[82] Die

---

[77] Zur Kritik *A. Pilniok*, Governance im europäischen Forschungsförderverbund, 2011, S. 95 f. und S. 157 f.

[78] *M. Enserink*, Fix Funding Agency's ‚Original Sin', ERC Review Panel Demands, Science, Vol. 325, vom 31.7.2009, S. 523 f.; *A. von Bogdandy/D. Westphal*, Der rechtliche Rahmen eines autonomen Europäischen Wissenschaftsrates, Wissenschaftsrecht 37 (2004), S. 224 (242 f.); *W. Schenk*, Strukturen und Rechtsfragen der gemeinschaftlichen Leistungsverwaltung, 2006, S. 195.

[79] European Research Council Review Panel, Towards a world class Frontier Research Organisation, Bericht vom 23.7.2009, S. 25.

[80] *T. Groß*, Der Europäische Forschungsrat – ein neuer Akteur im europäischen Forschungsraum, Europarecht 2010, S. 299 (306 f.); European Research Council Review Panel, Towards a world class Frontier Research Organisation, Bericht vom 23.7.2009, S. 21 f.

[81] Dazu *R. A. Lorz / M. Payandeh*, Die Institutionalisierung des Europäischen Forschungsraums, 2012, S. 33.

[82] European Research Council Review Panel, Towards a world class Frontier Research Organisation, Bericht vom 23.7.2009, S. 21; siehe zur Kritik auch *T. Groß*, Der Europäische Forschungsrat – ein neuer Akteur im europäischen Forschungsraum, Euro-

Expertenkommission betont demgegenüber, dass eine enge Zusammenarbeit zwischen dem Bereich der wissenschaftlichen Entscheidung und der administrativen Durchsetzung notwendig sei. Zudem dürfe auch der Verwaltungsbereich nicht völlig frei von wissenschaftlicher Expertise sein, sondern müsse Erfahrungen gerade im Forschungsmanagement aufweisen.[83] Mit anderen Worten: Im Kontext der Forschungsförderung müssen nicht nur die inhaltlichen Sachentscheidungen an wissenschaftsadäquaten Gesichtspunkten ausgerichtet sein, auch die administrative Durchsetzung dieser Entscheidungen und das Management müssen dem Gebot der Wissenschaftsadäquanz Rechnung tragen. Kritisiert wurde daher, dass die Exekutivagentur den Besonderheiten einer mit Forschungsförderung betrauten Einrichtung nicht gerecht werde und dass der Wissenschaftliche Rat kaum Einfluss auf Organisation und Verfahren der Exekutivagentur nehmen könne. Berichte aus dem Innenleben des Europäischen Forschungsrates bestätigen die Probleme und Reibungen, die das Aufeinanderprallen von wissenschaftlicher und administrativer Entscheidungslogik hervorgebracht hat.[84]

Diese Probleme wurden in der Praxis des Europäischen Forschungsrates durch ein informelles, eigentlich gar nicht vorgesehenes „ERC Board" zur Koordinierung zwischen Wissenschaftlichem Rat (vertreten durch seinen Vorsitzenden, die stellvertretenden Vorsitzenden sowie den ehemaligen Generalsekretär) und Exekutivagentur (vertreten durch den Direktor) abzumildern versucht. Mittlerweile sieht Art. 4 des Beschlusses zur Einrichtung des Europäischen Forschungsrates die Durchführung regelmäßiger Koordinierungssitzungen zwischen dem ERC-Präsidenten, den stellvertretenden Vorsitzenden des Wissenschaftlichen Rates und dem Direktor der Exekutivagentur vor. Auch im Übrigen wurde die Stellung des Wissenschaftlichen Rates gegenüber der Exekutivagentur gestärkt: Zwar entscheidet immer noch die Kommission über die Besetzung der Exekutivagentur, bei der Auswahl des Direktors sowie der leitenden Mitarbeiter berücksichtigt sie aber die Stellungnahme des Wissenschaftlichen Rates.[85] Im Lenkungsausschuss der Exekutivagentur sind zudem zwei Mitglieder des Wissenschaftlichen Rates vertreten. Darüber hinaus stam-

---

parecht 2010, S. 299 (308); *T. Groß/R. N. Karaalp*, The European Research Council: A Legal Evaluation of Research Funding Structures, in: D. Jansen/I. Pruisken (Hrsg.), The Changing Governance of Higher Education and Research, 2014, S. 179 (185 f.).

[83] European Research Council Review Panel, Towards a world class Frontier Research Organisation, Bericht vom 23.7.2009, S. 24 ff.

[84] Siehe *T. König*, Funding Frontier Research: Mission Accomplished?, Journal of Contemporary European Research 11 (2015), S. 124 ff.

[85] Art. 4 Abs. 2 und Abs. 3 Durchführungsbeschluss der Kommission Nr. 2013/779/ EU.

men mittlerweile zahlreiche Mitarbeiterinnen und Mitarbeiter der Exekutivagentur aus der Wissenschaft und weisen daher ein besonderes Gespür für die Besonderheiten der Forschungsförderung sowie für die Belange sowohl der in die Auswahlverfahren einbezogenen als auch der antragstellenden Wissenschaftlerinnen und Wissenschaftler auf.

Gleichwohl bleibt die Exekutivagentur ein Fremdkörper im institutionellen Gefüge des Europäischen Forschungsrates. In der Praxis hat sie sich zwar den besonderen Bedürfnissen der Forschungsförderung angepasst, hat ein enges Kooperationsverhältnis und auch Loyalitäten zum Wissenschaftlichen Rat aufgebaut und ist zunehmend sogar in den Bereich der Wissenschaftspolitik eingebunden.[86] Je mehr die Exekutivagentur indes an den spezifisch wissenschaftlichen Entscheidungsvorgängen mitwirkt, desto virulenter wird das Problem ihrer unmittelbaren Abhängigkeit von der Kommission. Zudem sind der Flexibilität von Exekutivagenturen deutliche rechtliche Grenzen gesetzt, Grenzen, die einer weitergehenden und vor allen Dingen permanenten wissenschaftsadäquaten Ausgestaltung der Agentur entgegenstehen.[87] Die Tätigkeit der Exekutivagentur ist in weiten Teilen vom generellen Statut über Exekutivagenturen vorgezeichnet. Abweichungen von diesen normativen Vorgaben und vom Leitbild einer Exekutivagentur sind nur in begrenztem Maße zulässig. Selbständigkeit und Autonomie sowie die Einräumung eigenständiger Entscheidungsspielräume sind im institutionellen Design von Exekutivagenturen schlicht nicht zu verwirklichen.

d) Kontinuität und Autonomie

Damit ist schließlich der vierte Kritikpunkt angesprochen: das Fehlen einer permanenten Institutionalisierung des Europäischen Forschungsrates. Durch die enge Anbindung an das jeweilige Rahmenforschungsprogramm ist der Europäische Forschungsrat in der derzeitigen Ausgestaltung weniger eine eigenständige Institution als vielmehr eine Art Projektträger.[88] Mag diese institutionelle Entscheidung zum Zeitpunkt der Gründung des Europäischen Forschungsrates vielleicht noch adäquat gewesen sein; spätestens mit der Fortführung der Tätigkeit des Rates unter dem aktuellen Rahmenforschungsprogramm erscheint sie kaum mehr angemessen. Wenngleich in der Außendarstellung sicherlich der Eindruck einer insti-

---

[86] Dazu *T. König*, Funding Frontier Research: Mission Accomplished?, Journal of Contemporary European Research 11 (2015), S. 124 (129 ff.).

[87] Ausführlich *R. A. Lorz/M. Payandeh*, Die Institutionalisierung des Europäischen Forschungsraums, 2012, S. 15 ff.

[88] *J. F. Lindner*, Die Europäisierung des Wissenschaftsrechts, 2009, S. 64 und S. 91.

tutionellen Kontinuität aufrecht erhalten wurde, erschwert die begrenzte Laufzeit doch die dauerhafte Etablierung des Europäischen Forschungsrates in der europäischen Forschungsförderungspolitik.[89] Schon mit Blick auf die Personalentwicklung erscheint eine dauerhafte Institutionalisierung geboten. Und auch unter dem Gesichtspunkt der Autonomie und Unabhängigkeit würde eine dauerhafte Errichtung sicherlich den Druck von der Arbeit des Europäischen Forschungsrates nehmen. Er wäre zwar weiterhin von Finanzzuweisungen abhängig, müsste jedoch nicht zum Ablauf jedes Rahmenforschungsprogramms die Unsicherheit seiner fortbestehenden Existenz in Kauf nehmen.

IV. Perspektiven einer institutionellen Neuausrichtung des Europäischen Forschungsrates

Der Europäische Forschungsrat hat das Stadium der Erprobung mittlerweile hinter sich gelassen. Nunmehr gilt es, Defizite an Organisation und Verfahren zu beheben und erfolgreiche Aspekte in dauerhafte institutionelle Strukturen zu überführen. Die evaluierenden Berichte der Expertenkommissionen aus den Jahren 2009 und 2011 bilden hierfür vielversprechende Ausgangspunkte.

Wesentliche Verbesserungen konnten bereits in der Praxis des Europäischen Forschungsrates sowie durch erste institutionelle Reformen erzielt werden. Gerade die in der Anfangszeit laut gewordenen Beschwerden über übermäßigen bürokratischen Aufwand – sowohl von Seiten der antragstellenden Forscherinnen und Forscher, als auch von Seiten der am Peer Review-Verfahren beteiligten Personen[90] – wurden vom Europäischen Forschungsrat wie auch von den politischen Akteuren ernstgenommen. Vereinfachung und Entbürokratisierung bildeten Leitmotive der Reformüberlegungen im Übergang vom siebten Rahmenforschungsprogramm zum aktuellen Programm „Horizont 2020".[91] Ob die in diesem Rahmen ergriffenen Maßnahmen den Verfahrensablauf in hinreichendem Maße verbessern werden, bedarf freilich kontinuierlicher Beobachtung und Evaluation.

---

[89] *T. Luukkonen*, The European Research Council and the European research funding landscape, Science and Public Policy 41 (2014), S. 29 (35).

[90] Siehe *T. König*, Funding Frontier Research: Mission Accomplished?, Journal of Contemporary European Research 11 (2015), S. 124 (131); European Research Council Review Panel, Towards a world class Frontier Research Organisation, Bericht vom 23.7.2009, S. 17 ff.; European Research Council Task Force, Bericht vom 12.7.2011, S. 5 ff.

[91] Siehe Mitteilung der Kommission vom 30.11.2011, KOM(2011) 808 endgültig.

Unter dem Gesichtspunkt der Wissenschaftsadäquanz spricht indes vieles dafür, dass für den mittel- und langfristigen Erfolg des Europäischen Forschungsrates grundlegende Änderungen am institutionellen Gefüge erforderlich sind. Mit Art. 187 AEUV hält das Primärrecht eine geeignete Rechtsgrundlage für die Errichtung einer einheitlichen und dauerhaften Forschungsförderungseinrichtung bereit.[92] Der Rückgriff auf das problematische Exekutivagentur-Modell wäre damit entbehrlich. Auch könnte eine deutlichere und rechtlich abgesicherte Autonomie des Europäischen Forschungsrates von der Kommission erreicht werden. Die Kommission wäre freilich nach wie vor in Personalentscheidungen eingebunden und würde die Tätigkeit des Europäischen Forschungsrates auch weiterhin beaufsichtigen.[93] Sie könnte aber noch deutlicher als bisher von wissenschaftspolitischen Entscheidungen sowie vom Alltagsbetrieb des Forschungsrates ferngehalten werden. Die bisherigen Expertenkommissionen standen Vorschlägen zu einer derart grundlegenden institutionellen Neuausrichtung insbesondere mit Blick auf die Dringlichkeit einer Entscheidung zum Ablauf des siebten Rahmenforschungsprogramms eher zurückhaltend gegenüber.[94] Die Laufzeit des aktuellen Programms bis Ende 2020 eröffnet hingegen hinreichenden Raum für eine unvoreingenommene Reformdebatte.

---

[92] Dazu ausführlich *R. A. Lorz/M. Payandeh*, Die Institutionalisierung des Europäischen Forschungsraums, 2012, S. 26 ff. und S. 40 ff.

[93] Siehe *R. A. Lorz/M. Payandeh*, Die Institutionalisierung des Europäischen Forschungsraums, 2012, S. 51 ff. (zu den rechtlichen Rahmenbedingungen) und S. 57 ff. (zur rechtspolitischen Ausgestaltung).

[94] Siehe European Research Council Task Force, Bericht vom 12.7.2011, S. 7. Auch die Europäische Kommission zeigte sich eher skeptisch hinsichtlich der Option einer Neuerrichtung auf der Grundlage von Art. 187 AEUV, siehe European Commission, Communication from the Commission to the Council and the European Parliament, The European Research Council – Meeting the Challenge of World Class Excellence, COM(2009) 552 final, 22.10.2009, S. 4. Der Wissenschaftliche Rat hingegen ließ durchaus Sympathien für den Vorschlag erkennen, siehe ERC Scientific Council, Response to the Report on the Review of the European Research Council's Structures and Mechanisms „Towards a world class Frontier Research Organisation", 25.8.2009, S. 3 f.

Klaus Ferdinand Gärditz

Auf dem Weg zu einem europäischen Wissenschaftsrecht?

Die Veranstalter der vergangenen Tagung haben das Tagungsthema „Auf dem Weg zu einem europäischen Wissenschaftsrecht" mit einem Fragezeichen versehen, und zwar in dem Bewusstsein, dass das Wissenschaftsrecht bislang kaum unionsrechtliche Herausforderungen zu bewältigen hatte und die ‚Europäisierung' eine eher periphere Rolle spielte.[1] Wenn rückblickend auf die vielschichtigen Referate Bilanz gezogen werden soll, ob und in welcher Hinsicht ein europäisches Wissenschaftsrecht im Entstehen oder gar bereits entstanden ist, erscheint dies auch nach einer überaus ertrag- und facettenreichen Tagung nicht einfach.

I. Begriffliche Unschärfe

Ob ein spezifisch europäisches Wissenschaftsrecht ent- bzw. besteht, ist eine Frage wissenschaftlicher Systematik, nicht der anwendungsbezogenen Rechtsdogmatik, schon weil aus der Gebietszuordnung juristisch nichts folgt. Für die Systembildung als wissenschaftliches Projekt[2] kommt es darauf an, was mit den Begriffen „Wissenschaftsrecht" und „europäisch" verbunden wird. Dies ist keineswegs linear.

1. Wissenschaftsrecht als Querschnittsmaterie

Das Wissenschaftsrecht ist eine Materie des besonderen Verwaltungsrechts, die durch einen Bereich der Gesellschaft definiert wird, dem kein kohärentes, geschlossenes Regelungswerk korrespondiert, dessen Anwen-

---

[1] Impulsgebend – auch für die vorliegende Tagung – *Josef Franz Lindner*, Die Europäisierung des Wissenschaftsrechts, 2009.

[2] *Wolfgang Kahl*, Die Europäisierung des Verwaltungsrechts als Herausforderung an Systembildung und Kodifikationsidee, in: Peter Axer/Bernd Grzeszick/ders./Ute Mager/Ekkehart Reimer (Hrsg.), Das Europäische Verwaltungsrecht in der Konsolidierungsphase, 2010, S. 39 (43 ff.).

WissR Beiheft 24 – S. 118–132
ISSN 0948-1478 – © Mohr Siebeck 2016

dungsbereich durch einen rechtlichen Tatbestand „Wissenschaft" verklammert wird. Wissenschaftsrecht ist unbestritten mehr als Hochschulrecht. Der integrative Anspruch, alle Rechtsfragen zu bündeln, die Forschung und Lehre determinieren oder deren personelle wie sachliche Infrastruktur flankieren, bindet disparate Sachbereiche ein, denen gegenüber Forschung und Lehre eine dienende Funktion zukommt, die aber einen Begriff von Wissenschaft nur als sozialen Bezugspunkt, nicht notwendig aber auch als tatbestandliche Subsumptionsgrundlage erfordern – wie z. B. das Arbeitnehmererfinderrecht, das Recht klinischer Arzneimittelstudien, das Studierendenförderungsrecht, das Arbeits- und Beamtenrecht oder das Kapazitäts- und Zulassungsrecht. Dies ist gewiss kein Hinderungsgrund, eine wissenschaftliche Systematisierung vorzunehmen. So hat sich etwa das Allgemeine Verwaltungsrecht als unbestrittene Mutterdisziplin öffentlichrechtlicher Systematisierungsleistungen gehalten, obgleich der Gegenstand „Verwaltung"[3] im geltenden Recht kaum tatbestandliche Relevanz hat.

Das Wissenschaftsrecht wurde etwa als Referenzgebiet vor allem für Fragen der administrativen Binnenkooperationsbeziehungen, der Haushaltssteuerung und des Verwaltungsorganisationsrechts gehandelt,[4] ohne dass der Mangel an systematischer Geschlossenheit hierbei hinderlich war. Die fehlende Kohärenz des Rechtsgebiets Wissenschaftsrecht erschwert allerdings einen rein rechtssystematischen Zugang, obgleich es ihn natürlich – woran ich als Mitherausgeber einer gleichnamigen Quartalszeitschrift zwangsläufig festhalten muss – nicht verhindert.[5] Definiert man den Gegenstand des Wissenschaftsrechts nach bestimmten Tätigkeiten – Forschung und Lehre – und Rechtsregimes, die das soziale Umfeld forschender und lehrender Tätigkeiten regeln, handelt es sich – wie etwa auch beim Umweltschutzrecht – um eine Querschnittsmaterie, die von sehr unterschiedlichen Regelungsbereichen berührt wird.

Die Gebiete des europäischen Verwaltungsrechts, die Schnittmengen mit dem Wissenschaftsrecht aufweisen, bleiben insoweit fragmentiert und inhaltlich sehr disparat,[6] im Ausgangspunkt aber – schon aus Kompetenzgründen – überwiegend nicht wissenschaftsspezifisch. Die stellvertretend für eine solche allgemeine Beeinflussung durch unionsrechtliche Vorga-

---

[3] Zu seiner eher phänomenologischen Umschreibung siehe *Hartmut Maurer*, Allgemeines Verwaltungsrecht, 18. Aufl. (2011), § 1 Rn. 2 ff.

[4] *Eberhard Schmidt-Aßmann*, Das allgemeine Verwaltungsrecht als Ordnungsidee, 2. Aufl. (2004), S. 130 ff. Sehr viel skeptischer *Klaus Ferdinand Gärditz*, Hochschulorganisation und verwaltungsrechtliche Systembildung, 2009, S. 620 ff.

[5] Frühzeitig *Eberhard Schmidt-Aßmann*, Wissenschaftsrecht im Ordnungsrahmen des öffentlichen Rechts, JZ 1989, S. 205 ff.

[6] Eingehend *Lindner* (o. Fußn. 1), S. 94 ff.; ferner *Rudolf Streinz*, Rechtsgrundlagen, in: Max-Emanuel Geis (Hrsg.), Bayerisches Hochschulrecht, 2009, Kap. I Rn. 68 ff.

ben ausgewählten Vorträge von *Timo Hebeler*[7] und *Clemens Holtmann*[8] haben dies verdeutlicht: Das Verbot der Altersdiskriminierung und das Beihilfenrecht sind Materien, die sich jeweils als Interventionsrecht zur Abwehr bestimmter Störungen – konkret: Diskriminierungen bzw. Wettbewerbsverzerrungen – gebildet haben, die es überall und damit eben auch im Wissenschaftssektor geben kann. Daneben gibt es aber auch Materien, die wissenschaftsspezifischer sind, wie dies mit der Forschungsförderung durch die Europäische Union der Fall ist,[9] obgleich sich auch dieses Rechtsgebiet nicht entlang der typischen Rationalität wissenschaftlichen Erkenntnisstrebens entwickelt hat, sondern ein Nebenprodukt europäischer Industriepolitik ist, das sich erst langsam aus diesem festgetretenen Entwicklungspfad herauslösen muss (vgl. ambivalent Art. 179 AEUV). Insgesamt nähert sich daher das Unionsrecht dem Wissenschaftsrecht eher von seiner Peripherie aus an, während das Hochschulrecht als Herzstück des deutschen Wissenschaftsrechts bislang weitgehend unberührt geblieben ist. Dort wo ausnahmsweise unmittelbar die Forschung reguliert werden soll, wie bei der Tierversuchsrichtlinie[10], erweist sich dies als kompetenzrechtlich prekär.[11]

2. Europäisches Wissenschaftsrecht oder Europäisierung des Wissenschaftsrechts?

Die Veranstalter haben bewusst (dies ist keine Zufälligkeit der Themengestaltung, sondern war Gegenstand der vorbereitenden Gespräche) nach dem Bestand eines *europäischen* Wissenschaftsrechts gefragt, nicht – wie man dies wohl eher erwarten würde[12] – nach der *Europäisierung* des Wissenschaftsrechts. Damit wollten die Veranstalter keineswegs das dynamische Element unionsrechtlicher Einflüsse relativieren oder gar suggerieren,

---

[7] *Timo Hebeler*, Verbot der Altersdiskriminierung, in diesem Band, S. 58 ff.

[8] *Clemens Holtmann*, Wissenschaftseinrichtungen und europäisches Beihilfenrecht, in diesem Band, S. 81 ff.

[9] Hierzu *Mehrdad Payandeh*, Institutionelle Fragen der europäischen Forschungsförderung, in diesem Band, S. 97 ff.

[10] Richtlinie 2010/63/EU des Europäischen Parlaments und des Rates v. 22.9.2010 zum Schutz der für wissenschaftliche Zwecke verwendeten Tiere (ABl. L 276, S. 33).

[11] Mit Recht ablehnend zur Abstützung durch die Binnenmarktkompetenz des Art. 114 AEUV *Matthias Cornils*, Reform des europäischen Tierversuchsrechts, 2011, S. 122 ff.; *Klaus Ferdinand Gärditz*, Invasive Tierversuche zwischen Wissenschaftsethik und Wissenschaftsfreiheit, in: Wolfgang Löwer/ders. (Hrsg.), Wissenschaft und Ethik, 2012, S. 97 (120 ff.).

[12] So dezidiert und unter Zugrundelegung der hiesigen Fragestellung *Lindner* (o. Fußn. 1), S. 158 f., der auf den geringen Kohärenzgrad und die prozesshafte Dynamik verweist.

es gehe um einen fixierbaren und systematisch geschlossenen Regelungs-
komplex. Dahinter stehen vielmehr Erwägungen zur Rolle der nationalen Rechtsordnungen innerhalb der europäischen Rechtsgemeinschaft:
Es ist ein Spezifikum der deutschen Diskussion, von der Europäisierung
aus einer Defensivhaltung heraus zu sprechen, weshalb dann auch jede
Anpassung erst einmal als (störender, ggf. abzuwehrender oder zumindest larmoyant zu beweinender) Einbruch in gewachsene Strukturen – in
ein geordnetes System[13] – (miss-)verstanden wird.[14] Das deutsche Recht
wird (passiv) europäisiert, es europäisiert nicht etwa (aktiv) mit. Dies ist
nicht durchweg falsch, zumal viele Entwicklungsimpulse in der Tat aus
deutscher Sicht einseitig waren, verstellt aber leicht den Blick auf die Komplexität der Maßstabsbildung unter Unsicherheitsbedingungen in einem
Mehrebenensystem. Europäisierung verkommt dann leicht zu einem bloßen Duldungs- oder Verlustbegriff, um Trauerarbeit an verloren gegange-
nen Besitzständen zu leisten.

Vernachlässigt würde damit nicht nur die vordringliche Frage, ob denn
jeder aufgegebene Besitzstand wirklich seiner Erhaltung wert gewesen
wäre.[15] Nicht angemessen berücksichtigt wird vor allem auch die Wech-
selbezüglichkeit der Generierung von rechtlichen Maßstäben im europäischen Verwaltungsrecht. Mangels durchnormierten Korpus eines
Verwaltungsrechts – zumal im indirekten Vollzug (Unionsverwaltungs-

---

[13] Paradigmatisch *Thomas von Danwitz*, Verwaltungsrechtliches System und Europäische Integration, 1996, S. 194 ff.

[14] Mit Recht kritisch *Oliver Lepsius*, Hat die Europäisierung des Verwaltungsrechts
Methode? Oder: Die zwei Phasen der Europäisierung des Verwaltungsrechts, in: Peter
Axer/Bernd Grzeszick/ders./Ute Mager/Ekkehart Reimer (Hrsg.), Das Europäische
Verwaltungsrecht in der Konsolidierungsphase, 2010, S. 179 (184, 189 ff.).

[15] Etwa das viel beweinte Zurückstutzen des Vertrauensschutzes war auch eine notwendige Reaktion darauf, dass der im Rahmen des § 48 VwVfG überzogen und undif-
ferenziert ausgebaute Vertrauensschutz seinerseits zu Protektionismus und kollusivem
Zusammenwirken von Verwaltung und Industrie einlud. Zutreffend *Peter M. Huber*,
„Beihilfen" (Art. 87, 88 EGV 1999) und Vertrauensschutz im Gemeinschaftsrecht und
im nationalen Verwaltungsrecht, KritV 1999, S. 359 (375); *Joachim Suerbaum*, Die Europäisierung des nationalen Verwaltungsverfahrensrechts am Beispiel der Rückabwick-
lung gemeinschaftsrechtswidriger Beihilfen, VerwArch 91 (2000), S. 169 (190). Allgemein gegen den Eigenwert gewachsener Strukturen in einem demokratischen Rechtsstaat
Ulrich Stelkens, Art. 291 AEUV, das Unionsverwaltungsrecht und die Verwaltungs-
autonomie der Mitgliedstaaten, EuR 2012, S. 511 (535 f.); *Manfred Zuleeg*, Deutsches
und europäisches Verwaltungsrecht – wechselseitige Einwirkungen, VVDStRL 53
(1994), S. 154 (176). Letzteres ist zwar im Ausgangspunkt selbstverständlich richtig, aber
im konkreten Kontext europäischer Kompetenzverteilung zu pauschal, weil Strukturen
ja ebenfalls Produkt demokratischer Rechtsetzung sind und sowohl das demokratische
Legitimationsniveau wie auch die Responsivität auf mitgliedstaatlicher Ebene in der
Regel höher sein wird.

recht[16])[17] – baut auch das europäische Recht in nicht unwesentlichen Teilen auf Bausteinen und Dogmen auf, die aus Referenzrechtsordnungen des nationalen Rechts gewonnen wurden.[18] Auf Grund der erheblichen Disparitäten der mitgliedstaatlichen Rechtsordnungen wird hier der traditionelle Weg über die wertende Rechtsvergleichung oftmals scheitern. An die Stelle des unfruchtbaren Vergleichs muss dann die gezielte Rezeption aus einzelnen mitgliedstaatlichen Rechtsordnungen erfolgen, die der Eigenrationalität des europäischen Rechts am ehesten entsprechen.[19] Damit liegt es aber an den Mitgliedstaaten, den Aufbau des europäischen Rechts als gemeinsames Projekt zu verstehen, in Unsicherheiten auch Gestaltungschancen zu erkennen und mit der Herausforderung rechtlicher Integration offensiv umzugehen. Die Wissenschaftsfreiheit in Art. 13 der Grundrechtecharta (GRCh) ist bislang ein weitgehend unbeschriebenes Blatt geblieben; ihre künftige Konkretisierung hängt entscheidend auch davon ab, was an unionsrechtlichen anschlussfähigen Deutungsangeboten seitens der Mitgliedstaaten in den europäischen Rechtsdiskurs eingebracht wird.[20]

An die Stelle rückwärtsgewandter Versuche, Besitzstände zu verteidigen, die sich meist längst nicht mehr verteidigen lassen, sollten vor diesem Hintergrund konkrete Lösungsangebote treten, wie eine sachgerechte Anpassung des nationalen Rechts an Erfordernisse des Unionsrechts aussehen könnte, ohne gewachsene Strukturen und träge Pfadabhängigkeiten[21] generell preisgeben zu müssen.[22] Anpassungsdruck ist eben immer auch eine Chance, Gewachsenes konzeptionell zu überdenken, zumal die Rechtsprechung des EuGH selten kategoriale Systemfragen stellt, sondern Herausforderungen primär fallbezogen bewältigt, damit in einem überschaubaren Rahmen hält und für konstruktive Reaktionen bzw.

---

[16] Stellvertretend *Andreas Glaser*, Die Entwicklung des Europäischen Verwaltungsrechts aus der Perspektive der Handlungsformenlehre, 2013, S. 42 ff.

[17] Siehe im Überblick *Jörg Gundel*, in: Reiner Schulze/Manfred Zuleeg/Stefan Kadelbach (Hrsg.), Europarecht, 3. Aufl. (2015), § 3 Rn. 91 ff.

[18] *Stephan Neidhardt*, Nationale Rechtsinstitute als Bausteine europäischen Verwaltungsrechts, 2008, S. 9 ff.; *Rainer Wahl*, Die Rechtsbildung in Europa als Entwicklungslabor, JZ 2012, S. 861 (866 ff.).

[19] *Klaus Ferdinand Gärditz*, Europäisches Planungsrecht, 2009, S. 123 f.

[20] Zur dialogischen Struktur konstitutioneller Maßstabsbildung insoweit *Susanne Baer*, Zum Potential der Rechtsvergleichung für den Konstitutionalismus, JöR 63 (2015), S. 389 (398 ff.).

[21] *Rainer Wahl*, Entwicklungspfade im Recht, JZ 2013, S. 369 ff.

[22] Beispielsweise der schonende Umgang des EuGH mit der – oftmals gegeißelten, aber bei sachgerechter Anwendung unionsrechtskonform operablen – Regelung des § 46 VwVfG zeigt, dass es sich lohnen würde, ein stärker dialogisches Verhältnis zum Unionsrecht zu entwickeln. Siehe *EuGH*, Urt. v. 7.11.2013, Rs. C-72/12 (Altrip u. a./Rheinland-Pfalz), NVwZ 2014, 49 Rn. 49 ff.

Adaptionsprozesse offen bleibt. Dass das europäische Verwaltungsrecht nicht „aus einem Guss" ist, sondern sektoral unterschiedlich sowie kasuistisch iterativ entsteht, schont eben auch die nationalen Rechtsordnungen, ermöglicht sanfte Anpassungen und verhindert, dass ganze Regelungskomplexe unionsrechtlich überrollt werden. Das europäische Wissenschaftsrecht könnte insoweit für das deutsche Rechtsverständnis erhebliche Chancen bieten. Denn unser Wissenschaftsrecht – wie das Referat von *Mehrdad Payandeh* eindrucksvoll belegt hat[23] – hält wie kaum eine andere Rechtsordnung für strukturelle Herausforderungen, bei konfliktreichen Verteilungsentscheidungen um knappe Ressourcen die inhaltliche Freiheit der Forschenden und Lehrenden zu gewährleisten, zahlreiche passgenaue Angebote bereit. Mechanismen zur Sicherung der Wissenschaftsadäquanz lassen sich zwar nicht *in toto* übertragen, können aber in einem europäischen Wissenschaftsrecht, das grundrechtlich ebenfalls auf die Wissenschaftsfreiheit verpflichtet ist, auch nicht ignoriert werden.

Das europäische Wissenschaftsrecht sollte daher von Anfang an nicht als statisches System missverstanden werden – die Kleinschreibung von europäisch im Tagungsthema ist daher Programm –, sondern als Auftrag zur fortwährenden und in einem demokratischen Verwaltungsrecht stets vorläufigen, unabgeschlossenen und zukunftsoffenen Modellierung.

II. Die Bündelungsfunktion der Wissenschaftsfreiheit

Bei dieser Modellierung des europäischen Wissenschaftsrechts gilt es, als Leitstern die europäische Wissenschaftsfreiheit, wie sie in Art. 13 GRCh ihren Ausdruck gefunden hat, zu etablieren. Die Charta ist das modernste Reformprojekt auf dem Gebiet des europäischen Grundrechtsschutzes und bietet eine explizite Textgrundlage, die weiterer Ausdeutung zugänglich ist, was mittelfristig das Niveau des Grundrechtsschutzes auch deshalb steigern wird, weil die Charta den schwierigen Umweg über die Herleitung allgemeiner Rechtsgrundsätze erleichtert und Raum für unionsrechtlich autonome Deutungen seitens des EuGH eröffnet. Dies ist für die Wissenschaftsfreiheit von herausgehobener Bedeutung, weil dieses Grundrecht weder in den mitgliedstaatlichen Verfassungen als selbstständiges Recht durchgängig etabliert ist noch sich unter der EMRK von der Meinungsfreiheit (Art. 10 EMRK) emanzipieren konnte.[24] Art. 13 Satz 1 GRCh bietet nun ein Grundrecht der Forschungsfreiheit, das – trotz Schrankenkon-

---

[23] In diesem Band, S. 97 ff.
[24] Siehe hierzu im Einzelnen *Claas Friedrich Germelmann*, Das europäische Grundrecht auf Wissenschaftsfreiheit, in diesem Band, S. 19 ff.

vergenz (Art. 52 Abs. 1 GRCh) – von der Meinungsfreiheit (Art. 11 Abs. 1 GRCh) abgesetzt ist, und Art. 13 Satz 2 GRCh ein Grundrecht der akademischen Freiheit, dessen Bedeutung bislang opak geblieben ist, wohl aber die Lehrfreiheit umfassen dürfte[25]. Dies ist anspruchsvolles Interpretationssubstrat, bietet aber auch Chancen einer eigenständigen Dogmatik der europäischen Wissenschaftsfreiheit, die sich aus der Abhängigkeit der menschenrechtlichen Judikatur lösen könnte.

1. Vergrundrechtlichungsbedarf

Wissenschaftsrecht ist – gleich ob auf nationaler oder europäischer Ebene – stets qualifiziert grundrechtsgeprägtes Recht. Schon die Begründung, das Wissenschaftsrecht als Referenzgebiet des Verwaltungsorganisationsrechts auszuwählen, wurde von Anfang an auf besondere Einflüsse der Wissenschaftsfreiheit gestützt,[26] die jedenfalls nach deutscher Lesart wie kein anderes Grundrecht organisationsrechtliche Konsequenzen eingefordert hat.

Dies bedarf zunächst der Selbstvergewisserung, denn diese Grundrechtsprägung ist im unionsrechtlichen Kontext keine Selbstverständlichkeit. Namentlich hat sich das Unionsrecht der Forschung von einem gänzlich anderen Standpunkt aus genähert, nämlich der industriepolitischen Nutzbarmachung von Wissen. Dieser gleichermaßen utilitaristische wie technokratische Ansatz, der den Wert der Wissenschaft rein instrumentell auf einen volkswirtschaftlichen Nutzen reduziert, bündelt nachgerade alle klassischen Freiheitsgefährdungen der Wissenschaft in konzentrierter Form. Die Spannungen zwischen ökonomischem Funktionalismus und Forschung mögen durch die sprachliche Neufassung des Art. 179 AEUV gegenüber den Vorgängerregelungen entschärft worden sein; erledigt haben sie sich aber nicht, wie die fortbestehende Ausrichtung auf Industriepolitik und Wettbewerbsfähigkeit zeigt. Nicht wirklich befriedigend ist namentlich die These, Art. 179 AEUV bilde ein „freiheitliches Konzept" ab.[27] Die Norm ist auf Freizügigkeit der Wissenschaftler und instrumentelle Freiheit des Austausches wissenschaftlicher Erkenntnisse gerichtet; dies ist gewiss freiheitlich, bildet aber weder die Kernfunktio-

---

[25] Hierfür *Matthias Ruffert*, in: Christian Calliess/ders. (Hrsg.), EUV/AEUV, 4. Aufl. (2011), Art. 13 GRCh Rn. 9. *Rudolf Streinz*, in: ders. (Hrsg.), EUV/AEUV, 2. Aufl. (2012), Art. 13 GRC Rn. 4.

[26] *Eberhard Schmidt-Aßmann*, Die Wissenschaftsfreiheit nach Art. 5 Abs. 3 GG als Organisationsgrundrecht, in: Festschrift für Werner Thieme zum 70. Geburtstag, 1993, S. 697 ff.

[27] *Matthias Ruffert*, in: Christian Calliess/ders. (Hrsg.), EUV/AEUV, 4. Aufl. (2011), Art. 179 Rn. 8.

nen einer freien Wissenschaft für eine demokratische Gesellschaft ab,[28] noch wird der spezifische Schutzbedarf aufgegriffen, der für die Freiheitlichkeit der Wissenschaft gerade wegen gesellschaftlicher (in Sonderheit volkswirtschaftlicher) Begehrlichkeiten und Nutzenerwartungen besteht. Die rechtskulturelle Dominanz ökonomischer Perspektiven auf das Wissenschaftssystem hat der Vortrag von *Cristina Fraenkel-Haeberle* nochmals unterstrichen.[29] Grundrechtliche Nachjustierung tut daher nicht nur not,[30] sondern muss auch strukturelle Hindernisse überwinden, die sie in den kulturstaatlich-idealistischen Traditionen deutscher Provenienz so nicht hatte. Jedes Verfassungsrechtsgebiet wächst freilich an seinen Herausforderungen und dem konkreten Problemlösungsbedarf. Das war für Deutschland nicht anders, ist doch die gegenwärtige Dogmatik der Wissenschaftsfreiheit weniger als Reaktion auf historische Unrechtserfahrungen entstanden, die ursprünglich die Matrix für die Schaffung eines solchen Grundrechts bildeten, sondern als Sonderweg in Abwehrkämpfen gegen Hochschulreformen seit den 1970er Jahren.[31]

Die Wissenschaftsfreiheit hat mit dem Lissabon-Vertrag expliziten sowie im Rang von Primärrecht (Art. 6 Abs. 1 UAbs. 1 Halbs. 2 EUV) verbindlichen und folglich mit hierarchischer Rechtsverdrängungsmacht ausgestatteten Eingang in die europäische Grundrechtecharta gefunden (Art. 13 GRCh). Diese politische Vergrundrechtlichung verlangt daher ihrerseits dem bisherigen technokratischen Wissenschaftsverständnis Anpassungen ab. Wenn es gelingt, vergleichbar der deutschen Rechtsentwicklung die Wissenschaftsfreiheit zum Ankerpunkt eines europäischen Wissenschaftsrechts zu machen, werden sich zwangsläufig Detailanforderungen ausdifferenzieren, die sich dann zwar autonom aus dem Unionsrecht entwickeln lassen müssen, insoweit aber ebenfalls passgenaue Antworten auf Problemlagen geben, die an den EuGH als maßgeblichen Akteur herangetragen werden. Es geht also – wie Richter *von Danwitz* in

---

[28] Hierzu *Christoph Möllers*, Demokratie – Zumutungen und Versprechen, 2008, S. 45; ferner *Klaus Ferdinand Gärditz*, Zeitprobleme des Umweltrechts – zugleich ein Beitrag zu interdisziplinären Verständigungschancen zwischen Naturwissenschaften und Recht, EurUP 2013, S. 2 (14 f.); *Andreas Voßkuhle*, Expertise und Verwaltung, in: Hans-Heinrich Trute/Thomas Groß/Hans Christian Röhl/Christoph Möllers (Hrsg.), Allgemeines Verwaltungsrecht – zur Tragfähigkeit eines Konzepts, 2008, S. 637 (651); historisch *Torsten Wilholt*, Die Freiheit der Forschung, 2012, S. 215, 253 ff.

[29] *Cristina Fraenkel-Haeberle*, Einflüsse des allgemeinen Unionsrechts auf das europäische Wissenschaftsrecht – Das Hochschulwesen als Wirtschaftsfaktor: öffentliches Gut oder kommerzielle Dienstleistung?, in diesem Band, S. 1 ff.

[30] Mit Recht *Ruffert* (o. Fußn. 27), Art. 179 Rn. 9.

[31] Wegmarke das Urteil zum niedersächsischen Vorschaltgesetz, siehe BVerfGE 35, 79 ff.

der Podiumsdiskussion noch einmal verdeutlichte[32] – um einen evolutiven und dynamischen Konkretisierungsprozess.

2. Maßstabskonkretisierung als Herausforderung

Ein solcher Prozess ist tastend, langsam und natürlich nur in Gang zu setzen, wenn entsprechende Fallpraxis überhaupt zum Gerichtshof gelangt. Dass die Ausdifferenzierung von Schutzgehalten zudem absehbar auf Schwierigkeiten stoßen wird, ist offensichtlich. Sicherlich lässt sich der Grad institutioneller Verästelung, die das BVerfG aus Art. 5 Abs. 3 Satz 1 GG abgeleitet hat,[33] nicht einfach auf die europäische Regelungsebene projizieren, unter deren Schirm sich auch gänzlich andere Traditionen des Akademischen finden.[34] Das Referat von *Claas Friedrich Germelmann* hat dies nochmals verdeutlicht.[35] Dies ändert aber nichts daran, dass ein positives Grundrecht, das Art. 13 GRCh enthält, schlicht mit einem Inhalt angereichert werden muss, der den grundrechtsspezifischen Risikolagen entspricht und auf Freiheitsgefährdungen überzeugende Antworten gibt. Eine genuin unionsrechtliche Traditionslinie hierfür fehlt indes vollständig. Rechtserkenntnisquellen, die zur Verfügung stehen, den Inhalt der Rechtsquelle – hier Art. 13 GRCh – zu erschließen, bleiben im Vagen – ein allgemeines Problem europäischer Grundrechtsdogmatik[36]. *Claas Friedrich Germelmann* hat sich in seinem Referat dem Thema klassisch durch Rechtsvergleichung und Rezeption der Judikatur zur EMRK angenähert. Dies ist zwar einerseits durch Art. 6 Abs. 3 EMRK vorgezeichnet. Die Leistungsfähigkeit dieses Ansatzes schmilzt jedoch andererseits mit fortschreitender Ausdifferenzierung des europäischen Verwaltungsrechts. *Vassilios Skouris* hat hierauf in der Podiumsdiskussion mit Recht hingewiesen.[37]

---

[32] Vgl. *Maria Geismann/Christina Meyer*, in diesem Heft, S. 49.

[33] Vgl. *BVerfGE* 35, 79 (129 ff., 143); 47, 327 (387); 111, 333 (353 ff.); 127, 87 (118 ff.); 136, 338 (359 ff.).

[34] Eingehend *Thomas Groß*, Die Autonomie der Wissenschaft im europäischen Rechtsvergleich, 1992.

[35] *Germelmann* (o. Fußn. 24), S. 47 f. Ferner bereits *Thomas Groß*, Die Autonomie der Wissenschaft als Problem des Rechtsvergleichs, European Review of Public Law/Revue Européenne de Droit Public 7 (1995), S. 109 (120); *Hans-Heinrich Trute*, Ungleichzeitigkeit in der Dogmatik: Das Wissenschaftsrecht, Die Verwaltung 26 (1994), S. 301 (326).

[36] Vgl. *Klaus Ferdinand Gärditz*, Schutzbereich und Grundrechtseingriff, in: Christoph Grabenwarter (Hrsg.), Europäischer Grundrechtsschutz, Enzyklopädie des Europarechts, Bd. 2, 2014, § 12 Rn. 20.

[37] Vgl. bereits *Vassilios Skouris*, Stellung und Bedeutung des Vorabentscheidungsverfahrens im europäischen Rechtsschutzsystem, EuGRZ 2008, S. 343.

Diese allgemeine Einsicht gilt in Sonderheit für das Grundrecht der Wissenschaftsfreiheit. Die mitgliedstaatlichen Verfassungen sind insoweit sehr disparat. Eine eigenständige Verbürgung der Wissenschaftsfreiheit bleibt Ausnahme; von Detailfragen des nationalen Rechts abstrahierbare Verfassungsrechtsprechung ist selten und in ihren konkreten Ausprägungen sehr unterschiedlich. Ganz allgemein sind Selbstverwaltungskulturen in einem Europa, das von einem prononciert zentralstaatlichen Modell Frankreichs bis hin zu dezentralen Lösungen mit teils korporatistischen Traditionen wie in Deutschland reicht, unterschiedlich ausgeprägt. Aus diesem Grund wird es im Kern darum gehen, unionsrechtlich autonome Regelungsgehalte sukzessive anhand der auftretenden Problemlagen und des jeweiligen funktionalen Schutzbedarfs auszudifferenzieren. Dieser Schutzbedarf folgt primär aus den Regelungsgehalten des jeweils wissenschaftsnahen sekundären Unionsrechts. Hier darf daran erinnert werden, dass der Ansatz autonomer unionsrechtlicher Ausformung einer Abwehrdogmatik bei den Grundfreiheiten ja von Anfang an praktiziert wurde und ganz wesentlich zum europäischen Liberalisierungsprojekt beigetragen hat. Was für die ökonomischen Freiheiten – mit demokratischer Schieflage[38] – funktioniert hat, sollte auch für Freiheitsgrundrechte gegenüber einer heute substantiell stärkeren öffentlichen Unionsgewalt nicht scheitern.

3. Der EuGH als Grundrechtsmotor?

Letztlich liegt es natürlich am EuGH, die Grundrechtecharta hier mit Leben zu erfüllen. Dass der EuGH inzwischen – auch als Konsequenz wechselseitiger Kritik im Zusammenspiel mit nationalen Höchstgerichten – bereit ist, freiheitsgrundrechtlich Zähne zu zeigen und vor allem die lange Zeit unterkomplexe Verhältnismäßigkeitsprüfung zu einer echten Rationalitätskontrolle auszubauen, hat sich gezeigt[39] und wurde vom (damaligen) Präsidenten des Gerichtshofs sowie von Richter am EuGH *Thomas von Danwitz* in der Diskussion wiederholt sowie mit Recht hervorgehoben.[40] Das Urteil zur Vorratsdatenspeicherung hat dies besonders verdeutlicht.[41] Hierbei ist offensichtlich, dass allein der EuGH angesichts der Disparitäten in den Verwaltungsrechtskulturen von 28 Mitgliedstaaten hinreichend leistungsfähig ist, kohärente gemeineuropäische Standards

---

[38] *Gertrude Lübbe-Wolff*, Europäisches und nationales Verfassungsrecht, VVDStRL 60 (2001), S. 246 (251).

[39] *Thomas von Danwitz*, Verfassungsrechtliche Herausforderungen in der jüngeren Rechtsprechung des EuGH, EuGRZ 2013, S. 253 (255 ff.).

[40] Vgl. auch den Bericht von *Geismann/Meyer* (o. Fußn. 32), S. 49, 56.

[41] *EuGH*, Urt. v. 8.4.2014 – C-293/12 u. a. (Digital Rights Ireland), NVwZ 2014, 709 Rn 38 ff.

überhaupt mit der notwendigen Informiertheit sowie durch rechtskultur-
übergreifende Entscheidungsfindung[42] problemadäquat zu formulieren.
Nationale Verwaltungsgerichte, denen der Gerichtshof über das Vorlageverfahren verbunden ist (Art. 267 AEUV), tragen dann als selbstständige
Akteure auf europäischer Ebene[43] die Verantwortung, die Lösungsangebote des nationalen Rechts auch anschlussfähig zu vermitteln.
Die selbstständige Gewährleistung der akademischen Freiheit in Art. 13
Satz 2 GRCh bietet einen Anknüpfungspunkt, auch auf europäischer
Ebene organisations- und verfahrensrechtliche Mindestgarantien abzu-
leiten.[44] Auch wenn der Europäischen Union eine Kompetenzgrundlage
fehlt, direkt gegenüber den mitgliedstaatlichen Hochschulen und außer-
universitären Forschungseinrichtungen regulativ tätig zu werden, wird
man dieses Grundrecht auch dort für anwendbar erachten müssen, wo
auf Unionsebene – namentlich im Bereich der Forschungsförderung –
Allokationsentscheidungen getroffen werden, die Auswirkungen auf die
akademische Forschung in den Mitgliedstaaten haben.[45] Wenn hierbei –
in Ermangelung gemeineuropäischer institutioneller Grundrechtstradi-
tionen[46] – absehbar eher ein primär individualfreiheitsrechtliches Modell
des Wissenschaftsfreiheitsschutzes entsteht und organisatorisch-institu-
tionellen Komponenten nur eine dienende Rolle zugewiesen wird, erscheint
dies unschädlich. Die Überbetonung von institutionellen Komponenten –
namentlich der Selbstverwaltung – im deutschen Modell bleibt ihrerseits
ambivalent. Die Hierarchisierungsbestrebungen der Hochschulreformen
der letzten zwei Dekaden haben hinreichend verdeutlicht, dass sich eine
abstrakte Hochschulautonomie – fehlverstanden als Autonomisierung der
Leitungsorgane im Inneren bei gleichzeitigem Rückzug des Staates aus der
Verantwortung – gerade auch gegen die individuellen Grundrechtsträger
wenden kann.[47] Wichtig ist eher, auch auf europäischer Ebene hinreichende
Vorkehrungen einzufordern, um einer zweckgerichteten Wissenschafts-

---

[42] Detailliert *Thomas von Danwitz*, Funktionsbedingungen der Rechtsprechung des
Europäischen Gerichtshofs, EuR 2008, S. 769 ff.
[43] *Skouris* (o. Fußn. 37), S. 344. Allgemein zu nationalen Gerichten als Unionsgerich-
ten *Martin Burgi*, Deutsche Verwaltungsgerichte als Gemeinschaftsgerichte, DVBl. 1995,
S. 772 ff.; *Friedrich Schoch*, Die Europäisierung des verwaltungsgerichtlichen Rechtsschutzes, 2000, S. 16, 26 f.; *Manfred Zuleeg*, Die Rolle der rechtsprechenden Gewalt in
der europäischen Integration, JZ 1994, S. 1 (2).
[44] *Ruffert* (o. Fußn. 13), Art. 13 GRCh Rn. 9.
[45] Zu den Konsequenzen eingehend *Payandeh* (o. Fußn. 9), S. 97 ff.
[46] Dass es möglicherweise Quellen außerhalb des traditionellen Verfassungsrahmens
geben kann, die Vorbild sein können, zeigt die Untersuchung von *Matthias Ruffert/
Sebastian Steinecke*, The Global Administrative Law of Science, 2011, S. 55 ff.
[47] Vgl. kritisch *Gärditz* (o. Fußn. 4), S. 296 f.; *Max-Emanuel Geis*, Universitäten im
Wettbewerb, VVDStRL 69 (2010), S. 364 (369).

steuerung nach Maßgabe gesellschaftlicher Nutzenerwartungen („Wettbewerbsfähigkeit" usf.) entgegenzuwirken sowie Forschende und Lehrende
gegen politischen Einfluss abzuschirmen. Gemessen an den gerade in jüngerer Zeit erreichten Errungenschaften des europäischen Grundrechtsschutzniveaus erscheint dies keineswegs aussichtslos.

Dass der EuGH „kein Grundrechtsgericht" ist, sondern ein Einheits-
gericht mit verwaltungsgerichtlichen Funktionen – so mit Recht betont
durch den seinerzeit amtierenden Präsidenten *Skouris* in der Diskussion[48] –, dürfte sich hierbei kaum als Nachteil erweisen. Freiheitschancen
sind vor allem in den Feinstrukturen des – oftmals nicht minder gewichti-
gen und ungeachtet des normenhierarchischen Nachranges oft erstaunlich
stabilen – Fachrechts zu entfalten, dessen sachgerechte Interpretation für
das Funktionieren der Feinmechanik praktischer Grundrechtsverwirkli-
chung durch Verwaltungsrecht – wie etwa das sekundärrechtliche Antidis-
kriminierungs- oder das Kartellverfahrensrecht zeigen – mitunter bedeu-
tender ist als der große Pinselstrich primärrechtlich armierter Leitsätze
auf hohem Abstraktionsniveau. Im Übrigen sind natürlich alle Organe der
Europäischen Union an die Grundrechtecharta gebunden (Art. 51 Abs. 1
Satz 1 GRCh), weshalb es zunächst einmal an den politischen Organen
der Rechtsetzung liegt, sich jeweils eine eigene Rechtsauffassung von den
Inhalten der Wissenschaftsfreiheit zu bilden und diese in wissenschaftsadäquate Regelungen umzugießen.

III. Hochschulen als Akteure auf Arbeits- und Dienstleistungsmärkten

Aus unionsrechtlicher Sicht werden Hochschulen auch als Marktakteure
tätig. Sie sind Arbeitgeber und damit namentlich auf unionsrechtlich prä-
formierten Diskriminierungsschutz verpflichtet. Beispielsweise soll es das
allgemeine Diskriminierungsverbot (Art. 18 AEUV) untersagen, Unionsbürger vom aktiven oder passiven Wahlrecht zu Hochschulorganen auszu-
schließen.[49] Von zentraler Bedeutung sind natürlich die Unionsrechtsakte,
die sich gegen verschiedene Formen der Diskriminierung richten, allen
voran die Antidiskriminierungsrichtlinie 2000/78/EG[50].

Timo Hebeler hat in seinem Referat[51] verdeutlicht, dass sich hieraus sehr
unterschiedliche Folgen für Beamtinnen und Beamte, auf die die Umset-

---

[48] Siehe *Geismann/Meyer* (o. Fußn. 32), S. 55.
[49] *Lindner* (o. Fußn. 1), S 121 f.
[50] Richtlinie 2000/78/EG des Rates v. 27.11.2000 zur Festlegung eines allgemeinen
Rahmens für die Verwirklichung der Gleichbehandlung in Beschäftigung und Beruf
(ABl. L 303, S. 16).
[51] In diesem Band, S. 58 ff.

zungsregelungen des AGG[52] ebenfalls anwendbar sind (§ 24 AGG), sowie Angestellte ergeben können. Das Unionsrecht lässt vergleichsweise weitreichende Möglichkeiten einer Rechtfertigung von Unterscheidungen auf Grund des Alters zu (Art. 6 RL 2000/78/EG; § 10 AGG). Zugleich wurde deutlich, dass zwar die Hochschulen in sehr unterschiedlichen Situationen vom Antidiskriminierungsrecht adressiert werden, die damit verbundenen Regelungswirkungen aber weder hochschul- noch wissenschaftsspezifisch sind. Ob daher das europäisch präformierte allgemeine Gleichbehandlungsrecht tatsächlich einem europäischen Wissenschaftsrecht zugewiesen werden kann, erscheint zweifelhaft, handelt es sich doch nur um eine Ausprägung der allgemeinen Rechtsbindung, wie sie etwa auch im zivilen Vertrags- und Haftungsrecht, im Beamten- und Arbeitsrecht oder bei der Verantwortlichkeit nach Strafrecht Platz greifen. Für die tägliche Praxis der Hochschulverwaltungen mindert dies die Bedeutung nicht.

Anders sieht es für das Subventionsrecht aus, das – wie das Referat von *Holtmann* gezeigt hat[53] – durchaus wissenschaftsspezifische Konturen aufweist. Zwar ist auch das Beihilfenrecht (Art. 107 f. AEUV) als solches zunächst wissenschaftsindifferent. Indes wird hier versucht, auf die spezifischen Interessen an der staatlichen Förderung von Forschung, Entwicklung und Innovation Rücksicht zu nehmen, und zwar sowohl auf der tatbestandlichen Stufe der Beihilfenqualität als auch auf der Ebene der Rechtfertigung. Hier hat sich dann eine eigenständige Unterdogmatik ausdifferenziert, die den Besonderheiten von Forschung und Lehre sowie den damit verfolgten Gemeinwohlzielen Rechnung trägt.

IV. Perspektiven: Zwischen Europäischem Wissenschaftsrecht, europäischem Wissenschaftsrecht und europäisiertem Wissenschaftsrecht

Blickt man zurück auf die Tagung und die Breite der diskutierten Themen, bleibt noch die Antwort auf die Frage offen, ob wir nun tatsächlich auf dem Weg zu einem europäischen Wissenschaftsrecht sind. Dies ist – notabene – eine Frage von rein akademischem Interesse. Dass das Unionsrecht auch das Wissenschaftssystem berührt, lässt sich nicht ernsthaft in Frage stellen. Anschauliche Beispiele hat diese Tagung in großem Umfang geliefert. Es geht vielmehr darum, ob es im Interesse wissenschaftlicher Systembildung im Europäischen Verwaltungsrecht sachgerecht erscheint, ein solches Rechtsgebiet systematisch als Forschungsgegenstand auszu-

---

[52] Allgemeines Gleichbehandlungsgesetz v. 14.8.2006 (BGBl. I S. 1897), das zuletzt durch Gesetz v. 3.4.2013 (BGBl. I S. 610) geändert worden ist.
[53] *Holtmann* (o. Fußn. 8), S. 81 ff.

differenzieren und eigenständige Regelungsprinzipien zu identifizieren, die es von anderen Rechtsgebieten unterscheidet. Für das Wissenschaftsrecht ist dies fraglos der Fall, ob sich aber eine eigenständige europäische Regelungsschicht sachgerecht herauslösen lässt, wird man zurückhaltender beurteilen müssen. *Josef Franz Lindner* hatte in seiner impulsgebenden Schrift den Bestand eines „Europäischen Wissenschaftsrechts" (mit großem E) unter Verweis auf die bislang geringe Prägung großer Teile des nationalen Wissenschaftsrechts noch plausibel verneint.[54] Der Ausgangsbefund ist gewiss richtig, auch weil der Union weiterhin unmittelbare Regelungskompetenzen, auf die mitgliedstaatliche Wissenschaftsorganisation gezielt Einfluss zu nehmen, fehlen und zudem Trägheiten sowie Beharrungskräfte tradierter Entwicklungspfade im nationalen Recht[55] im stark kulturstaatlich geprägten Recht besonders groß sind. An den vielfältigen Einflüssen jedenfalls auf Funktionsbereiche im Umfeld von Forschung und Lehre ändert dies allerdings nichts. Für ein bloßes „europäisches Wissenschaftsrecht" (mit kleinem e) würde der aufgezeigte Bestand durchaus reichen, zumal wenn es gelänge, die europäische Wissenschaftsfreiheit als überwölbendes Freiheitsversprechen[56] im Mittelpunkt des Regelungsfeldes zu positionieren.

Gegen den Ausweis eines E/europäischen Wissenschaftsrechts spricht freilich, dass dieser Charakterisierung immer noch das überkommene Bild anhaftet, es handele sich bei dem Unionsrecht um einen abgrenzbaren Rechtsraum. Dies würde jedoch weder den Stand der Integration noch das Ineinandergreifen der Regelungsebenen im Verwaltungsrecht zeitgemäß abbilden. Will man auf das mit Geltungsvorrang versehene Unionsrecht aufbauen und damit einen abstrakt-normativen Anker wählen, läge es näher, von einem Unionswissenschaftsrecht oder einem Unionsrecht der Wissenschaft zu sprechen. Auch hier zeitigt dann die herkömmliche Trennung von Eigenverwaltungsrecht (direkter Vollzug)[57] und Unionsverwaltungsrecht (indirekter Vollzug) Folgen. Sachgerechter erscheint es aber, angesichts der im Verwaltungsrecht fortgeschrittenen Amalgamierung unionsrechtlicher und nationaler Prägungen sowie der Verschränkung von Unions- und Umsetzungsrecht[58] Gebiete des Verwaltungsrechts nach

---

[54] *Lindner* (o. Fußn. 1), S. 159.
[55] *Wahl* (o. Fußn. 21), S. 378.
[56] *Wolfgang Löwer*, Freiheit wissenschaftlicher Forschung und Lehre, in: Detlef Merten/Hans-Jürgen Papier (Hrsg.), Handbuch der Grundrechte, Bd. IV, 2011, § 99 Rn. 3.
[57] Wertvolle Vorarbeiten zum Eigenverwaltungsrecht der Forschung bei *Ralph Alexander Lorz/Mehrdad Payandeh*, Die Institutionalisierung des Europäischen Forschungsraums, 2012.
[58] Eingehend *Andreas Funke*, Umsetzungsrecht, 2010, S. 141 ff.

ihren Themen oder nach ihrem systematischen Zuschnitt zu vermessen, nicht nach der formalen Zuordnung einer Rechtsquelle. So gesehen ist dann aber – dies hat diese Tagung gezeigt – ein unionsrechtlich beeinflusstes Wissenschaftsrecht als integraler Bestandteil des in der Bundesrepublik Deutschland geltenden Wissenschaftsrechts schon längst Realität.

2016. Ca. 670 Seiten (Jus Publicum 254). ISBN 978-3-16-154330-2 Leinen ca. € 125,– (Mai)

eBook

Thomas Holzner analysiert konsensuale Handlungs- und Organisationsformen verschiedener Rechtsgebiete auf ihre Gemeinsamkeiten hin und untersucht deren Integrationsfähigkeit in das System des Allgemeinen Verwaltungsrechts sowie deren demokratische Legitimierbarkeit und begründet für diese die Kategorie der gruppenpluralen Konsensverwaltung.

Thomas Holzner
Konsens im Allgemeinen Verwaltungsrecht und in der Demokratietheorie
Untersuchungen zur Phänomenologie gruppenpluraler Konsensverwaltung unter besonderer Berücksichtigung des Sozialrechts als Referenzgebiet

Thomas Holzner untersucht konsensuale Handlungs- und Organisationsformen sowie den Einbezug Privater in diese auf ihre Gemeinsamkeiten. Dabei werden nicht nur das Sozialrecht, sondern auch andere Rechtsgebiete, wie z.B. das Hochschul-, Wirtschafts-, Lebensmittel- und Medienrecht als Referenzgebiete herangezogen. Der Autor versucht, diese mit der Kategorisierung als gruppenplurale Konsensverwaltung dogmatisch zu erfassen und in das System des Allgemeinen Verwaltungsrechts zu integrieren. Gleichzeitig stellt er eine Theorie zur demokratischen Legitimation dieser Phänomene vor, die es unter Fortbildung des klassischen Legitimationsmodells ermöglicht, die demokratische Legitimation von Organisationsformen wie dem Gemeinsamen Bundesausschuss, aber auch z.B. den öffentlich-rechtlichen Rundfunkanstalten, der Filmförderungsanstalt oder der Lebensmittelbuch- und der Gendiagnostik-Kommission zu begründen.

Mohr Siebeck
Tübingen
info@mohr.de
www.mohr.de

Informationen zum eBook-Angebot: www.mohr.de/ebooks